Chères lectrices,

L'Australie m'a toujours fascinée. Bien sûr, je ne suis peut-être pas très objective, puisque j'y suis née... mais il y a dans ce pays aussi vaste qu'un continent une telle diversité de paysages, de climats et d'hommes qu'il me paraît impossible de ne pas l'aimer !

Il y a quelques mois, je vous entraînais à la découverte de la nature âpre et sauvage de l'Outback. Vous y avez rencontré les trois frères King, des hommes hors du commun qui ont su apprivoiser la terre rouge, aride, qui caractérise cette région.

A présent, j'ai envie de vous faire découvrir une autre région, aussi magnifique que la précédente, mais totalement différente : le Queensland. Ici, pas de désert mais de luxuriantes forêts tropicales ; pas de sécheresse, mais des cyclones ; et au lieu de gigantesques élevages, d'immenses plantations de canne à sucre, de thé ou de fruits exotiques...

Cependant, la géographie n'est pas tout ! Car dans ce nouveau volet de « Passions australiennes », vous ferez la connaissance d'une autre branche de la famille King, dont les membres sont dotés d'un tempérament aussi fort et fascinant que leurs cousins de l'Outback. Je suis sûre que vous tomberez sous le charme d'Alessandro, Antonio et Matteo... de grands séducteurs australiens que leurs origines italiennes rendent proprement irrésistibles !

Bien à vous,

Emma Darcy

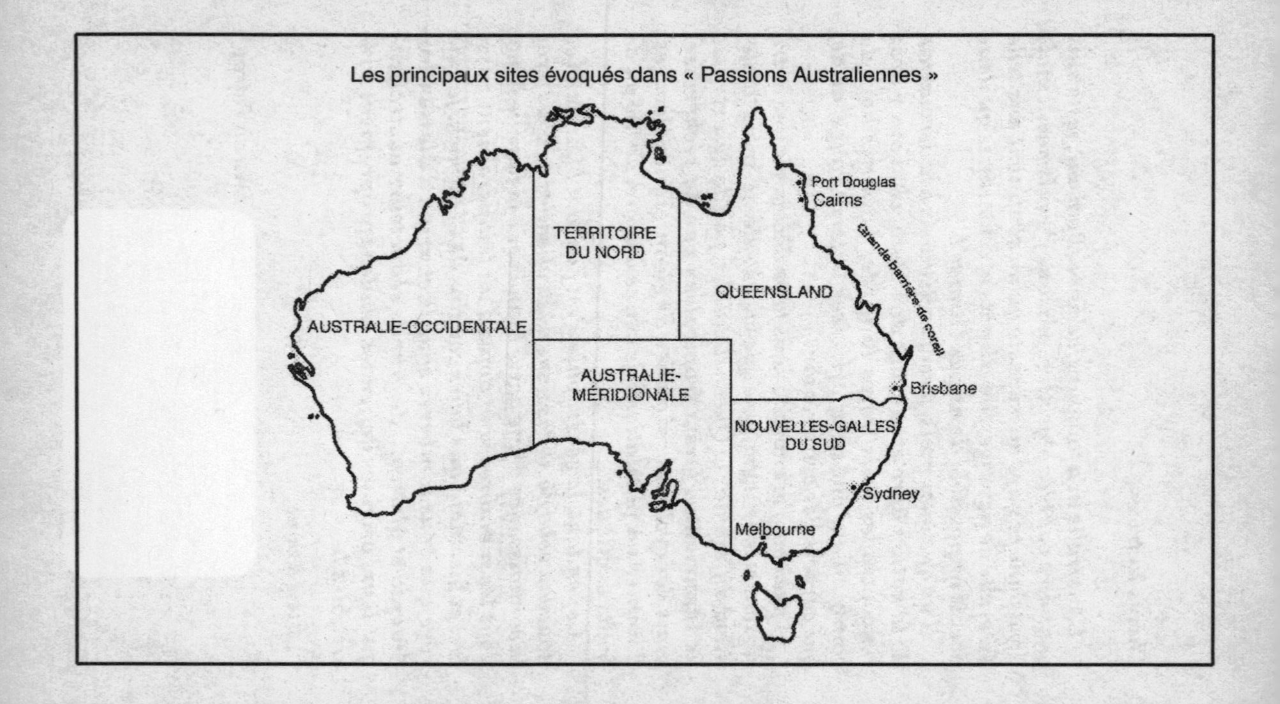
Les principaux sites évoqués dans « Passions Australiennes »
TERRITOIRE DU NORD
QUEENSLAND
Port Douglas
Cairns
Grande barrière de corail
AUSTRALIE-OCCIDENTALE
AUSTRALIE-MÉRIDIONALE
Brisbane
NOUVELLES-GALLES DU SUD
Sydney
Melbourne

Un mariage chez les King

EMMA DARCY

Un mariage chez les King

COLLECTION AZUR

éditions Harlequin

Cet ouvrage a été publié en langue anglaise
sous le titre :
THE HONEYMOON CONTRACT

Traduction française de
LÉONIE GADES

83-85, boulevard Vincent-Auriol, 75013 PARIS — Tél. : 01 42 16 63 63
Service Lectrices — Tél. : 01 45 82 47 47
ISBN 2-280-20309-X — ISSN 0993-4448

1.

Décidément, la vie de célibataire avait du bon ! songea Matt King en se laissant tomber sur le canapé du salon. Il n'avait de comptes à rendre à personne et rien ne l'empêchait de passer la journée avec ses amis à faire du rafting sur la Tully River, comme ç'avait été le cas aujourd'hui. Agé de trente ans, Matt considérait qu'il avait encore quelques années d'insouciance et de liberté devant lui avant d'envisager de se fixer ; il n'avait aucune intention de se laisser entraîner dans les projets matrimoniaux que sa grand-mère échafaudait pour lui !

L'excursion sur la rivière lui avait d'ailleurs fourni une excuse rêvée pour ne pas assister au déjeuner dominical qu'Isabella King avait organisé pour présenter sa nouvelle protégée à la famille. Bien sûr, Matt savait qu'il ne faisait que repousser l'inévitable : tôt ou tard, il ferait la connaissance de Nicole Redman, surtout si elle devait passer les six prochains mois à King's Castle afin d'écrire l'histoire de la famille King. Mais rien ne pressait, et il était hors de question qu'il laisse sa grand-mère régenter sa vie privée.

Il s'apprêtait à allumer la télévision pour regarder les informations quand le téléphone sonna. En entendant la voix de son aïeule à l'autre bout du fil, il ne put retenir un sourire satisfait : n'avait-il pas déjoué les plans de la vieille dame ?

— Ah ! Tu es sain et sauf, Matteo, déclara Isabella après l'avoir salué.

L'intonation de sa voix indiquait clairement combien elle désapprouvait le genre d'activités de plein air — dangereuses à son goût — auxquelles s'adonnait son petit-fils.

— Oui, *nonna*. Comme tu peux le constater, je ne me suis pas noyé, la taquina-t-il.

— Tu as eu de la chance, comme d'habitude, répliqua-t-elle, avant de poursuivre : en fait, je t'appelais pour savoir si tu serais au bureau demain matin…

Elle ne lâchait pas facilement prise ! songea-t-il. Dans le courant de la semaine, il se déplaçait entre ses différentes plantations, mais le lundi et le vendredi, il restait au siège de son entreprise de cars touristiques. Sa grand-mère connaissant son emploi du temps, il n'avait pas d'autre choix que d'acquiescer.

— Parfait ! reprit celle-ci. Je t'enverrai Nicole. Je veux que tu lui donnes un pass pour qu'elle puisse circuler librement dans n'importe lequel de tes bus.

— Elle n'a pas de voiture ?

Même s'il savait que la lutte était perdue d'avance, Matt ne pouvait se résoudre à se rendre sans résister un peu.

— Si. Mais les visites guidées lui donneront un aperçu général du cadre où se dérouleront ses recherches ; et puis, tes chauffeurs livrent toujours quelques informations inédites en route.

— Il s'agit plutôt d'anecdotes amusantes pour divertir les passagers…

— Elles donnent une idée de la mentalité particulière du nord du Queensland. Etant donné que Nicole ne connaît pas du tout Port Douglas et ses environs, je ne considère pas que ce soit une perte de temps.

— C'est dommage que tu n'aies pas engagé un écrivain du coin, fit remarquer Matt.

— J'ai choisi Nicole Redman parce qu'elle possède les qualités requises pour exécuter ce travail.

Matt n'en doutait pas une seconde ! Il savait aussi que la jeune femme possédait certainement d'autres *qualités*, notamment celles qui pourraient le séduire, lui ! En effet, il avait eu vent, quelques mois auparavant, des projets matrimoniaux d'Isabella. Il avait reçu un véritable choc en surprenant une conversation entre sa grand-mère et Elizabeth King, la nièce de celle-ci, lors du mariage de son frère Tony. Isabella s'était vantée de pouvoir trouver la femme idéale pour le benjamin de ses petits-fils. Matt n'avait pas pris ces propos à la légère, puisque ses aînés venaient effectivement de se marier tous les deux. Bien sûr, Matt appréciait énormément Gina et Hannah, ses belles-sœurs, mais il n'en restait pas moins convaincu que celles-ci avaient été choisies par *nonna* avant même qu'Alex et Tony posent les yeux sur elles.

Il avait donc toutes les raisons de penser que Nicole Redman était celle dont sa grand-mère espérait qu'elle lui passerait la corde autour du cou.

Celle-ci l'ignorait certainement, tout comme lui-même était censé l'ignorer. Mais Matt ne se faisait guère d'illusions : l'arrivée inopinée de la jeune femme parmi eux lui rappelait la façon dont les deux précédentes « recrues » d'Isabella King étaient apparues dans la vie de ses frères.

La voix de sa grand-mère l'arracha à ses réflexions :

— Beaucoup de gens peuvent faire des recherches et jeter sur le papier le fruit de leur enquête, continua celle-ci dédaigneusement. Cela ne veut pas dire pour autant qu'ils savent raconter une histoire. Je ne veux pas d'un travail d'amateur. Cet ouvrage est très important pour moi.

Cette farouche volonté de perfection ressemblait bien à Isabella, se dit Matt avec un pincement de tendresse. Estimant qu'il l'avait suffisamment taquinée, il décida d'accéder à sa requête. Après tout, une entrevue aussi brève — juste le temps de remettre un document — ne l'engageait à rien. De plus, il pourrait profiter de l'occasion pour satisfaire sa curiosité : à quoi pouvait bien ressembler la femme que lui « réservait » sa grand-mère ?

— Je suis désolé, *nonna*, reprit-il. Je sais combien ce projet te tient à cœur, évidemment, et je serai heureux de pouvoir t'aider.

— Je pensais que tu pourrais aussi lui fournir les cartes routières nécessaires pour ses excursions en voiture. Tu lui montreras les endroits qui ont compté dans l'histoire familiale et tu pourras lui indiquer comment s'y rendre, continua Isabella.

Les quelques minutes qu'il avait pensé consacrer à la jeune femme se transformaient insidieusement en une bonne demi-heure, mais Matt se voyait mal refuser ce service à sa grand-mère.

— D'accord.

Il n'aurait qu'à marquer à l'avance les plantations de la famille King, cela écourterait d'autant le temps passé en tête à tête avec Mlle Redman.

— Merci, Matteo. A quel moment préfères-tu que Nicole passe ?

« Jamais ! » se retint-il de répondre.

— 10 h 30 me conviendrait.

Quand il eut raccroché, Matt songea avec admiration à l'habileté dont sa grand-mère venait de faire preuve : les allusions de la vieille dame à Nicole Redman s'étaient toujours cantonnées dans les limites d'une conversation strictement professionnelle, et pas un instant elle n'avait tenté d'éveiller sa curiosité à propos de la jeune femme. Au point qu'il se demandait s'il ne s'était pas trompé quant aux intentions qu'il lui avait prêtées.

Mais il se reprit aussitôt, car les circonstances ressemblaient trop à celles ayant précédé les rencontres entre ses frères et leurs futures épouses pour laisser planer un doute.

Sa grand-mère avait présenté Gina Terlizzi, une jeune chanteuse, à son frère Alex alors qu'il s'apprêtait à épouser une femme qu'Isabella n'appréciait pas — à juste titre, devait reconnaître Matt, qui n'aimait pas Michelle Banks non plus. Même s'il reconnaissait que ce dénouement était plutôt heureux, Matt n'en oubliait pas moins que c'était sa grand-mère qui l'avait fortement influencé.

Apparemment décidée à réitérer son exploit, elle n'avait pas attendu longtemps avant d'engager Hannah O'Neill comme chef-cuisinier sur le catamaran de Tony. Son frère avait commis l'erreur de confier à sa grand-mère le soin de choisir son nouvel employé, et une fois mis en présence de la jeune femme, Tony avait rapidement succombé à son charme.

Deux « protégées » d'Isabella King avaient épousé ses petits-fils. Et voilà qu'arrivait la troisième !

Si l'idée de n'être qu'un pion sur l'échiquier sentimental de sa grand-mère l'agaçait terriblement, Matt ne pouvait nier qu'il était curieux de rencontrer la femme que celle-ci lui destinait. A vrai dire, cette perspective constituait le principal piment de l'entrevue prévue pour le lendemain.

Tandis qu'il appuyait sur le bouton de la télécommande, un sourire confiant étira ses lèvres : quels que soient les attraits de Nicole Redman, il était persuadé qu'il saurait y résister. La femme qui le ferait renoncer à sa liberté n'était pas encore née ! Et ce n'étaient pas les manœuvres d'Isabella qui le feraient revenir sur sa décision !

2.

Une fois parvenue sur Wharf Street, Nicole se retourna pour contempler l'extraordinaire demeure qu'elle venait de quitter. Le nord du Queensland était situé à des milliers de kilomètres de Rome, et pourtant Frederico Stefano Valeri, le père d'Isabella King, avait gardé à l'esprit la splendeur des palais de sa ville natale lorsqu'il avait fait construire sa maison sur les hauteurs surplombant Port Douglas.

Tant par son architecture que par l'impression de pérennité qui s'en dégageait, King's Castle reflétait parfaitement l'attachement de ses occupants à leurs racines et à la famille, se dit la jeune femme tandis que ses pensées s'attardaient un instant sur les deux arrière-petits-fils du bâtisseur, qu'elle avait rencontrés la veille. C'était sans doute leur grand-mère qui leur avait transmis ce trait de caractère et Nicole était curieuse de découvrir si le troisième petit-fils d'Isabella King ressemblait aux deux autres sur ce point.

Alessandro, Antonio et Matteo... Les trois frères perpétueraient-ils l'œuvre entreprise par leur aïeul lorsqu'il avait quitté l'Italie en 1906 pour s'installer en Australie ? A en juger par les membres de la famille qu'elle avait déjà rencontrés, Nicole ne doutait pas que leur histoire passée et présente se révélerait un sujet d'étude passionnant. Quelle famille fascinante ! songea-t-elle en reprenant son chemin pour se rendre au siège de King Tours.

A 10 heures du matin, la chaleur était déjà accablante et, redoutant une insolation, Nicole préféra marcher à l'ombre des grands arbres qui bordaient la route menant au centre-ville. Pour protéger sa peau très claire des rayons du soleil, elle avait copieusement enduit d'écran total ses bras et ses jambes.

Son teint diaphane de rousse aurait pu constituer un handicap dans un pays où les activités de plein air — et en plein soleil ! — occupaient une place privilégiée. Mais, heureusement pour elle, Nicole avait toujours aimé les livres : lire et écrire étant ses passe-temps favoris depuis l'enfance, elle n'avait jamais ressenti comme une privation le fait de rester des journées entières à l'intérieur. De plus, ayant vécu au chevet de son père durant ses dernières années, elle s'était habituée à passer des nuits blanches. Elle était consciente cependant qu'en travaillant pour Isabella King, elle allait devoir reprendre un rythme plus classique.

Cette perspective n'était d'ailleurs pas pour lui déplaire, car elle n'aurait voulu pour rien au monde manquer la splendeur des journées sous les tropiques. Elle avait remarqué qu'une lumière particulière baignait Port Douglas dès le lever du soleil sur l'océan, pour ensuite faire ressortir les couleurs avec une netteté étonnante. A Sydney, on ne voyait jamais des verts aussi intenses, et l'éclat vif des plantes tropicales qui égayaient par leurs taches rouges et jaunes le paysage ne cessait de l'émerveiller.

A vrai dire, tout ici était différent de ce que Nicole connaissait. La ville entière semblait vivre avec nonchalance au rythme des journées torrides qui se terminaient presque chaque soir par de violents orages tropicaux. Jamais Nicole n'avait eu autant conscience de la puissance de la nature, ni éprouvé un tel besoin de vivre en harmonie avec elle. Curieusement, elle pressentait que si elle n'y prenait garde, elle ne pourrait bientôt plus se passer de ce monde fascinant.

Déjà, elle avait du mal à se reconnaître dans la jeune femme qui descendait Wharf Street, simplement vêtue d'une robe chemisier sans manches jaune, de sandales et d'un large chapeau de paille orné d'une marguerite. Pour la première fois depuis longtemps, elle ne se souciait absolument pas du qu'en-dira-t-on. Elle n'avait plus de cours à donner, ni à prendre position dans les luttes de pouvoir au sein de l'université, ni à supporter les commentaires oiseux à propos de son livre.

La sensation de liberté qu'elle éprouvait était si nouvelle et si délicieuse qu'un sourire radieux éclairait son visage. Elle avait l'impression de se trouver à l'aube d'une vie nouvelle. Certes, elle s'apprêtait à se plonger dans le passé pour les six mois à venir ; toutefois, il ne s'agissait pas de son propre passé, mais de celui d'une famille de pionniers qui avait construit un petit empire tropical. Là encore, elle s'aventurait sur un terrain totalement nouveau. C'était d'ailleurs une des raisons qui l'avaient poussée à accepter ce travail : découvrir ce que pouvaient ressentir les membres d'un clan aux racines profondément ancrées dans une communauté, et dont les ramifications continuaient encore de s'étendre.

Quand elle arriva sur Macrossan Street, Nicole passa devant le King Building, où se trouvaient les bureaux de la banque d'affaires d'Alex — seules Isabella et Rosita, la gouvernante de King's Castle, l'appelaient Alessandro.

Un peu plus loin, elle longea la marina où étaient amarrés les bateaux de la Kingtripper, la compagnie spécialisée dans les excursions sur la Grande Barrière de Corail fondée par Tony King. Nicole avait d'ailleurs prévu de lui rendre visite une fois terminée son entrevue avec le frère de celui-ci.

Finalement, elle déboucha dans Owen Street, où étaient situés le dépôt de cars et le siège de King Tours. La compagnie de transports en commun — ainsi que sa plantation de fruits exotiques — était l'œuvre de Matt King.

Parallèlement à leurs propres entreprises, les trois frères géraient chacun une portion des plantations sur lesquelles la fortune familiale s'était construite : Alex était responsable des champs de canne à sucre, Tony des plantations de thé d'Innisfail et de Cape Tribulation, et Matt supervisait la culture de vastes vergers fruitiers.

Quand Isabella lui avait décrit les réalisations personnelles de ses petits-fils, Nicole n'avait pu s'empêcher d'éprouver de l'admiration pour ces hommes qui ne s'étaient pas contentés de faire fructifier les affaires prospères léguées par leurs parents. Bien sûr, la diversification garantissait la bonne santé de leurs affaires, mais Nicole était persuadée que c'était le sang des pionniers qui coulait dans leurs veines qui avait poussé les frères King à étendre leurs activités.

Alex et Tony King étaient très différents des citadins que Nicole avait l'habitude de côtoyer. Non pas qu'ils fussent des provinciaux mal dégrossis, bien au contraire : l'éducation qu'ils avaient reçue de leur grand-mère en avait fait des jeunes hommes courtois, et elle avait beaucoup apprécié leur compagnie lors du déjeuner de la veille. Pourtant, quelque chose dans leur manière d'être trahissait un sentiment d'invincibilité, une force primitive qu'aucun vernis de civilisation ne parviendrait à complètement effacer.

En pénétrant dans le bâtiment de King Tours, elle se demanda si Matt King se révélerait aussi intéressant que ses aînés.

Le jeune homme assis derrière le bureau de la réception avait apparemment été prévenu de son arrivée et il l'accueillit avec un grand sourire :

— Vous êtes Mlle Redman, n'est-ce pas ? Le patron vous attend dans son bureau. Les cartes sont prêtes : j'ai moi-même souligné les principaux sites à voir. Vous ne pourrez pas vous perdre.

L'avait-on décrite comme totalement dépourvue du sens de l'orientation ? ne put s'empêcher de se demander Nicole, amusée. Elle n'eut toutefois pas le loisir de détromper le jeune homme, car celui-ci s'était levé pour ouvrir la porte du bureau de la direction et, avant même qu'elle ait eu le temps d'ôter son chapeau, il l'introduisit dans la pièce attenante.

— Mlle Redman, annonça-t-il.

Etait-ce la rapidité avec laquelle le réceptionniste l'avait pratiquement poussée dans la pièce... ou la vue de Matt King qui la laissa complètement abasourdie sur le pas de la porte ? Nicole n'aurait pu le dire. Elle n'était sûre que d'une chose : Matt King était d'une beauté à couper le souffle, et semblait incarner à lui seul le charme masculin.

Une incroyable énergie virile se dégageait de toute sa personne. Son teint mat mettait en valeur l'harmonie de ses traits réguliers et l'expression volontaire de son visage était adoucie par les boucles indisciplinées de sa chevelure sombre. Quant à ses yeux noirs, ils étaient bordés de cils épais. En réalité, son charme avait presque quelque chose de diabolique. Car tout à coup, Nicole avait envie d'effleurer cette mâchoire déterminée puis de plonger ses doigts dans ses mèches rebelles.

Elle eut encore le temps de remarquer qu'il était vêtu avec une élégante décontraction d'un polo bleu ciel et d'un pantalon de toile beige, avant d'être totalement subjuguée par sa prestance quand il se leva pour la saluer. Une impulsion subite lui fit retirer son chapeau pour le serrer contre elle comme un bouclier, tandis que Matt King s'approchait.

Son geste sembla surprendre son compagnon, car il se figea aussitôt. Soudain consciente du ridicule de son attitude, Nicole rougit violemment ; son embarras empira quand elle se rendit compte que Matt King avait les yeux rivés sur sa chevelure. En ôtant son chapeau, elle avait dû se décoiffer, songea-t-elle, confuse. Les sourcils froncés, Matt plongea son regard dans le sien, et la lueur qui assombrissait ses prunelles la fit frissonner malgré elle.

Aussi étonnant que cela puisse paraître, Nicole eut l'impression qu'il quêtait un signe de reconnaissance de sa part. Elle était bien certaine pourtant de ne l'avoir jamais rencontré, car elle se serait souvenue de lui. Réalisant soudain qu'elle ne pouvait indéfiniment rester bouche bée au beau milieu de la pièce, elle parvint à se ressaisir :

— Je suis Nicole Redman, et je viens de la part de votre grand-mère..., articula-t-elle péniblement.

Avait-elle rêvé ou un sourire ironique et fugace était-il réellement apparu sur les lèvres de son compagnon ?

— Je vous prie de m'excuser, commença-t-il. Je sais qu'on ne doit pas dévisager les gens, mais votre couleur de cheveux est tellement spectaculaire... que je n'ai pas pu m'en empêcher !

Puis, après avoir avancé d'un pas, il se présenta :

— Matt King.

— Je suis ravie de vous rencontrer, répondit-elle en serrant la main qu'il lui tendait.

Trop bouleversée par les battements erratiques de son cœur, Nicole avait parlé d'un ton guindé qui ne lui ressemblait pas. Pourvu que Matt King ne s'aperçoive pas de l'effet que sa poignée de main avait sur elle ! Elle en mourrait de honte !

— Nicole Redman…

Matt King avait répété son nom avec lenteur, comme s'il voulait en savourer chaque syllabe, sans quitter ses lèvres des yeux, et lorsqu'il planta de nouveau son regard dans le sien, elle crut y déceler une lueur moqueuse.

— Notre rencontre a été un peu retardée, déclara-t-il d'une voix chaude, mais je suis sûr que nous rattraperons rapidement le temps perdu.

S'il ne l'avait pas dévisagée avec cette expression impénétrable, Nicole aurait pensé qu'il faisait simplement allusion à son absence lors du déjeuner de la veille, mais le sous-entendu qu'elle crut déceler dans sa remarque la prit au dépourvu. Il n'insista cependant pas davantage et au vif soulagement de Nicole, il relâcha enfin sa main.

D'un geste, il lui enjoignit de s'asseoir avant de retourner lui-même derrière son bureau. Les jambes flageolantes, Nicole parvint à franchir la faible distance qui la séparait du fauteuil qu'il lui avait désigné et elle s'y installa.

Elle devait à tout prix retrouver sa contenance, se sermonna-t-elle. Que lui arrivait-il ? Après avoir vu Alex et Tony, elle s'était pourtant attendue à rencontrer un homme séduisant en la personne de Matt King. Mais ses frères ne lui avaient pas fait cet effet dévastateur, alors qu'elle avait passé plusieurs heures en leur compagnie.

Elle ne parvenait pas à s'expliquer pourquoi Matt King la troublait à ce point. Elle avait vingt-huit ans et avait rencontré des centaines d'hommes dans sa vie. Mais aucun ne lui avait fait perdre ses moyens avec une telle rapidité ! Brusquement, elle comprit ce qui lui arrivait. Malgré l'ombre des arbres et la protection de son chapeau, elle avait été victime d'une insolation ! Voilà pourquoi un léger vertige lui faisait tourner la tête… Et cette curieuse sensation de chaleur qui irradiait dans tout son corps… Satisfaite d'avoir trouvé une explication rationnelle à ses réactions incongrues, elle poussa un soupir de soulagement.

Convaincue à présent qu'elle irait mieux dans quelques minutes, elle concentra son attention sur la marguerite de son chapeau qui reposait sur ses genoux, en attendant que Matt King prenne place à son tour dans son fauteuil.

Pour se rassurer complètement, elle se rappela qu'elle n'avait pas besoin de s'éterniser dans les locaux de King Tours. Dès qu'elle aurait son pass et ses cartes routières, elle s'en irait.

Si seulement ses mains pouvaient s'arrêter de trembler ! C'était décidé : la prochaine fois qu'elle devrait se rendre quelque part, elle prendrait la voiture. Elle éviterait ainsi les désagréments dus au climat tropical ! Forte de cette résolution qui lui avait rendu un semblant de calme, Nicole leva la tête pour affronter avec une sérénité retrouvée le regard de Matt King.

3.

Dès l'instant où Nicole Redman avait ôté son chapeau, Matt fut projeté dix ans en arrière, une nuit de Halloween à La Nouvelle-Orléans. C'était bien la même jeune femme… Il reconnaissait les traits délicats, le teint de porcelaine, les grands yeux mordorés, les lèvres aux courbes pleines… Et comment aurait-il pu oublier cette chevelure flamboyante ? Certes, à La Nouvelle-Orléans, ses cheveux formaient un halo autour d'elle, alors qu'à présent, elle les avait relevés sur les tempes pour dégager son visage… Et contrairement à aujourd'hui, elle ne se faisait pas passer pour un écrivain.

En fait, déguisée en sorcière, elle guidait des touristes à travers le Vieux Carré, dans le cadre d'une « visite hantée ». D'abord attiré par l'accent australien de la sorcière-guide, Matt s'était arrêté pour l'observer plus attentivement. Ses commentaires mi-lugubres mi-humoristiques rencontraient un vif succès auprès de ses clients, et il devait admettre qu'elle jouait son rôle avec beaucoup de talent. Fasciné par sa beauté éthérée autant que par l'intensité de son expression, il l'aurait sans doute suivie plus longtemps si les amis qui l'accompagnaient n'avaient décidé de s'arrêter dans un des bars pittoresques du quartier français.

Cette brève rencontre avait néanmoins suffi pour que l'image de la jolie sorcière qui faisait le boniment reste gravée dans sa mémoire...

Par quelle incroyable coïncidence le destin avait-il remis cette femme sur sa route après tant d'années ? C'était bien elle pourtant, le doute n'était pas permis.

Pour se remettre du choc, Matt prit tout son temps pour contourner le bureau, avant de s'asseoir dans son fauteuil.

Une chose l'intriguait : qu'avait bien pu raconter Nicole Redman pour convaincre Isabella de l'engager ? Cette dernière n'était pas née de la dernière pluie ; or, en l'occurrence, sa sagacité légendaire semblait avoir été prise en défaut. Comment avait-elle pu se faire berner par une aventurière ? Certes, Matt avait eu un aperçu des dons de conteuse de la jeune femme, mais ceux-ci lui permettraient-ils de s'atteler à la rédaction d'un ouvrage historique ? Se pouvait-il que sa grand-mère n'ait pas vérifié les références de Mlle Redman ? A moins que ces détails n'aient semblé secondaires à Isabella, puisque son but véritable était de lui trouver une épouse...

Soudain préoccupé, Matt s'enfonça dans son fauteuil en lançant un regard sombre à sa visiteuse. La vague de colère qui l'avait envahi au souvenir des projets de sa grand-mère fut cependant bientôt balayée par un sentiment de curiosité pour cette « fiancée idéale ».

Pourquoi diable Isabella avait-elle pensé que Nicole Redman — elle, et pas une autre — lui conviendrait ?

Dix ans auparavant, il avait trouvé que la superbe chevelure rousse et le teint diaphane de la jeune femme conféraient un cachet unique à sa beauté... et il n'avait pas changé d'avis. Mais à présent, il ne pouvait s'empêcher de penser qu'elle aurait du mal à s'adapter au climat du nord du Queensland : son teint translucide ne résisterait pas longtemps à la brûlure du soleil tropical.

Sa pose réservée — elle se tenait très droite, les yeux baissés — ne rappelait en rien la jeune fille exubérante de La Nouvelle-Orléans. Matt devait toutefois reconnaître que la robe jaune qu'elle portait aujourd'hui n'était pas sans attraits. Contrairement à la grande cape de satin noir qui l'enveloppait alors, cette tenue ne cachait pas ses courbes harmonieuses. Machinalement, son regard s'attarda quelques instants sur les petits seins ronds qu'il devinait sous le tissu.

Le contraste formé par son attitude à la limite de la timidité et l'assurance que dénotait sa tenue conforta Matt dans l'idée que Nicole menait double jeu. Il n'en fallut pas davantage pour aiguillonner sa curiosité ; oubliant sa résolution de se débarrasser le plus rapidement possible de l'intruse, il décida au contraire de percer le mystère qui entourait la jeune femme. Il avait l'avantage de savoir qui elle était réellement, alors que Nicole ignorait qu'il l'avait rencontrée à La Nouvelle-Orléans. En effet, ce soir-là, il portait un masque de Halloween.

— C'est la première fois que vous venez dans le Nord ? commença-t-il.

Lorsque Nicole leva la tête, Matt découvrit son expression circonspecte. Apparemment, elle était sur ses gardes. Redoutait-elle des questions personnelles qui risquaient de la démasquer ?

— Effectivement, répondit-elle. Je n'étais jamais venue avant mon entretien avec votre grand-mère, il y a un mois.

— L'idée de passer six mois au château ne vous effraie pas ?

— Pas du tout !

Par son ton indulgent, Matt avait voulu lui montrer qu'il comprendrait que ce soit le cas, mais la question avait visiblement surpris son interlocutrice.

— Pourtant, vous allez devoir rester de longues heures enfermée avec ma grand-mère, insista-t-il. Et une fois que la nouveauté du cadre se sera dissipée, vous regretterez peut-être une vie plus trépidante…

Curieux de connaître sa réaction, Matt n'avait pas quitté la jeune femme des yeux. Celle-ci, apparemment étonnée du tour que prenait la conversation, le dévisagea quelques instants avant de répondre.

— Qu'est-ce qui vous fait penser ça ? finit-elle par demander. Ne serait-ce pas plutôt *vous* qui vous ennuyez en compagnie de votre grand-mère ?

— A mon tour de vous demander : qu'est-ce qui vous fait penser ça ? rétorqua Matt sans se laisser démonter par la brutalité de l'accusation.

— Vous n'êtes pas venu au déjeuner familial, hier.

— J'avais un autre engagement que je n'ai pas voulu annuler. Vous n'avez pas mal interprété mon absence, j'espère ?

Il avait appuyé cette dernière flèche d'un haussement de sourcil ironique.

— Moi ? Bien sûr que non ! protesta-t-elle.

— J'avais pourtant cru comprendre que vous me reprochiez de ne pas avoir été là.

— Pas du tout ! Je pensais seulement… Vous disiez…

De toute évidence, elle n'osait pas l'accuser de nouveau de manquer de sollicitude envers sa grand-mère et, confuse, elle s'interrompit. Matt en profita pour préciser sa pensée :

— Je disais qu'une jeune citadine habituée à sortir et à s'amuser risquait de devenir claustrophobe, à compulser des archives en compagnie d'une vieille dame de quatre-vingts ans.

Le regard glacial qu'elle lui darda semblait dire qu'elle redoutait plutôt de périr d'ennui si elle s'attardait un instant de plus chez lui.

— A vrai dire, j'imagine mal comment je pourrais m'ennuyer avec Mme King, déclara-t-elle. C'est une femme passionnante.

— Vous allez donc vous consacrer au passé de notre famille pendant plusieurs mois, quitte à mettre votre propre vie en veilleuse ?

— De toute évidence, nous ne partageons pas la même conception de la tâche qui m'attend ! L'histoire m'a toujours passionnée et c'est pour moi une source inépuisable d'enseignement.

— A mon avis, elle constitue surtout un éternel recommencement ! Et si l'on admet que la nature humaine n'a pas fondamentalement évolué depuis la nuit des temps, l'étude de l'histoire peut sembler un peu inutile, vous ne trouvez pas ?

Au lieu de répondre à sa provocation, sa visiteuse le dévisagea quelques instants dans un silence chargé d'animosité. Devinant qu'elle était prête à bondir pour défendre une cause qui lui tenait visiblement à cœur, Matt admira d'autant plus la maîtrise dont elle fit preuve. Elle ne voulait sans doute pas commencer son étude par une dispute avec le petit-fils de son employeuse.

— J'ai l'impression que le projet de votre grand-mère vous contrarie, déclara-t-elle soudain à brûle-pourpoint. Est-ce que je me trompe ?

— Oui ! répondit-il sans la moindre hésitation. Je pense au contraire que cet ouvrage sera d'un grand intérêt pour les générations futures. De plus, la vie de ma grand-mère mérite vraiment d'être couchée sur papier, et c'est bien que cela soit fait sous son contrôle.

— Alors, c'est moi qui vous gêne ?

Nicole Redman n'y allait pas par quatre chemins ! songea Matt avec une pointe d'admiration. La jeune femme serait-elle franche au point de lui avouer qu'elle n'était pas celle qu'elle prétendait être ? Il décida de lui tendre une perche. Peut-être parviendrait-il ainsi à provoquer ses confidences ?

— Aurais-je une raison de me méfier de vous ? demanda-t-il.

— Pas que je sache. A vous de me le dire.

Déçu et comprenant qu'il n'en tirerait pas davantage, Matt préféra changer de tactique en posant des questions plus directes :

— Quel âge avez-vous ?

— Vingt-huit ans.

— Vous avez un petit ami ?

— Non.

— Vous cherchez l'âme sœur, alors ?

— Pas particulièrement.

— Pourquoi ? Je pensais que c'était une occupation normale pour une jeune femme de votre âge.

Il eut la satisfaction de constater que cette dernière remarque avait réussi à la troubler. Les joues écarlates, mais les yeux brillant de fierté, elle répliqua sèchement :

— Je suis désolée de ne pas correspondre à votre définition de la jeune femme « normale ».

Il n'était peut-être pas parvenu à percer le mystère de l'inconnue de La Nouvelle-Orléans, songea Matt, mais il avait au moins reçu la confirmation de ses soupçons quant aux intentions de sa grand-mère. Estimant qu'il avait suffisamment embarrassé Nicole Redman, il se retint de lui apprendre qu'ils s'étaient déjà rencontrés sous d'autres cieux. En fait, malgré la méfiance qu'elle lui inspirait, il répugnait à l'accuser d'imposture, car, après tout, il ignorait ce qui s'était passé dans son existence durant les dix années écoulées. Si elle n'avait pas menti sur son âge, elle avait seulement dix-huit ans à l'époque. Peut-être s'était-elle assagie après une jeunesse tumultueuse ?

Son petit interrogatoire lui avait permis de constater que Nicole répondait à quelques exigences essentielles, si elle était destinée à l'épouser : elle était à l'âge où l'on songe généralement à se fixer et à fonder une famille, elle était célibataire et très attirante... pour qui aimait les rousses flamboyantes.

Ce détail ne cessait d'intriguer Matt. Où Isabella avait-elle été chercher l'idée qu'une rouquine lui plairait ?

La réponse à cette énigme lui apparut soudain : Trish O'Neill ! Comment n'y avait-il pas pensé plus tôt ? Mince et élancée, la sœur de Hannah avait de longs cheveux auburn et il s'était effectivement bien entendu avec elle lors du mariage de son frère Tony avec Hannah. Ils s'étaient amusés à flirter, mais Matt était persuadé que la jeune femme n'avait pas plus que lui pris au sérieux leur badinage innocent. Sa grand-mère avait-elle déduit de leur complicité que Trish représentait son type de femme ?

Apparemment, Nicole Redman se méprit sur le soupir exaspéré qui lui échappa et crut qu'il s'adressait à elle, car elle le foudroya du regard avant de reprendre :

— J'ai accepté de collaborer à ce projet parce qu'il m'intéressait et qu'il représentait un défi. Je suis persuadée que ce sont les mêmes raisons qui vous ont poussé à créer vos entreprises, comme je suis sûre que vos motivations n'avaient rien à voir avec la présence — ou l'absence — d'une compagne à vos côtés à ce moment-là.

Décidément, Nicole Redman avait le sens de la repartie. Matt faillit rétorquer du tac au tac que ce n'était pas la même chose pour une femme, mais il se retint in extremis. En effet, il ne pensait pas que c'était le cas, et pour une raison mystérieuse, il ne voulait pas qu'elle le prenne pour un misogyne. En fait, ses questions avaient eu pour seul but de vérifier que son intuition ne l'avait pas trompé : Nicole Redman était bien la femme que sa grand-mère voulait le voir épouser. Maintenant qu'il était fixé, il décida d'enterrer la hache de guerre :

— Eh bien, j'espère que vous trouverez autant de satisfaction à explorer le passé que j'en ai eu moi-même à préparer l'avenir, déclara-t-il en lui lançant un sourire engageant.

Apparemment consciente de son changement de ton, elle se détendit à son tour.

— Avec des aïeux comme les vôtres, je ne m'ennuierai sûrement pas. Vous avez beaucoup de chance, vous savez, de pouvoir vous appuyer sur une tradition familiale comme celle des King.

Matt n'avait décelé aucun reproche dans cette remarque, et lorsqu'il surprit l'expression mélancolique qui traversa fugitivement le regard de la jeune femme, il crut un instant avoir découvert la clef de son mystère : sans racines, ni port d'attache, Nicole Redman voyageait au gré des opportunités. Avait-elle parfois l'impression d'errer comme une âme en peine ? Sentant toutefois que ses suppositions ne le mèneraient nulle part, il préféra lui demander ce qu'il en était de sa famille à elle.

— Je n'en ai pas, répliqua-t-elle laconiquement.

— Vous êtes orpheline ?

La mâchoire de la jeune femme se crispa ; elle était visiblement lasse d'être ainsi questionnée et ce fut d'une voix tendue qu'elle finit par répondre :

— Je suis majeure et seule responsable de mes actes. Sachez donc que j'ai pris la décision d'aider Mme King à rédiger l'histoire de sa famille en toute connaissance de cause. Dans ce but, j'ai signé un contrat de six mois, mais si ma participation à ce projet vous pose un problème…

Le défiant de trouver quelque chose à redire à sa présence, Nicole laissa sa phrase en suspens. Rongeant son frein, Matt se retint de rétorquer que, d'un point de vue strictement historique et littéraire, Isabella King n'avait certainement pas fait le bon choix.

— Je n'ai pas pour habitude de me mêler des affaires de ma grand-mère, se contenta-t-il de protester.

— Parfait ! Je ne vous importunerai donc pas plus longtemps, répliqua Nicole en se levant. Votre assistant m'a dit que vous aviez des documents à me remettre…

Matt se rendit compte trop tard qu'il n'avait plus de prétexte pour prolonger l'entrevue. Chassant le sentiment de frustration que cette pensée avait fait naître en lui, il se leva à son tour. Après tout, se rappela-t-il, ils allaient inévitablement être amenés à se revoir.

Saisissant la pile de cartes routières posée devant lui, il la tendit à la jeune femme :

— Tenez, elles vous permettront de vous repérer facilement.

— Merci.

Sans prendre la peine de cacher sa hâte d'en finir, Nicole Redman se pencha pour ramasser son sac. Son expression indéchiffrable contraria fortement Matt et l'idée qu'elle allait s'en aller lui fut soudain insupportable. S'emparant du pass, il contourna son bureau et se planta devant elle.

— Ceci vous permettra de circuler dans tous les bus de la compagnie, déclara-t-il en brandissant la carte magnétique.

Tout occupée à ranger son sac, elle ne l'avait apparemment pas entendu approcher ; au son de sa voix si proche, elle sursauta et son chapeau lui échappa des mains. En se baissant d'un même mouvement, ils faillirent se heurter. Nicole battit immédiatement en retraite, et lorsque Matt se redressa, une fois le chapeau ramassé, il fut irrésistiblement attiré par les grands yeux dont l'expression insondable le fascinait.

Une envie puissante d'embrasser Nicole l'envahit, et l'espace d'un instant, il s'imagina qu'il pourrait cueillir sur ses lèvres frémissantes les secrets qu'il brûlait de connaître. Les battements de son cœur commençaient à s'accélérer, et tandis qu'une décharge d'adrénaline se propageait dans ses veines, il se rendit compte qu'il la désirait !

— Merci.

Le faible murmure de la jeune femme rappela Matt à la réalité. Avait-il perdu la tête ? se sermonna-t-il. La certitude que sa grand-mère avait choisi Nicole Redman pour le séduire aurait pourtant dû l'immuniser contre le charme de cette dernière !

Lorsqu'elle prit le pass qu'il lui tendait, Matt sentit le tremblement à peine perceptible des doigts de sa visiteuse. Il remarqua également qu'elle gardait la tête obstinément baissée. Etait-elle aussi troublée que lui ? se demanda-t-il tout en se révoltant à l'idée qu'ils puissent être attirés l'un par l'autre.

Pourtant, tandis qu'elle fourrait hâtivement le pass dans son sac, Matt dut serrer les poings pour résister à une envie irrépressible de l'attirer contre lui, de plonger les mains dans la chevelure flamboyante... Ce faisant, il se rendit compte qu'il tenait toujours le chapeau de paille entre ses mains. L'idée ridicule de le garder en otage pour retenir sa propriétaire lui traversa un instant l'esprit, mais il se ressaisit aussitôt.

Quand elle eut remis son sac sur son épaule, Nicole fit un pas hésitant en arrière, avant de balbutier :

— Mon chapeau...

Cédant à une impulsion subite, Matt avança résolument vers elle et lui posa lui-même le couvre-chef sur la tête. Espérait-il par ce geste écarter la tentation qu'elle représentait ? Ou rendre à Nicole Redman l'aspect rassurant qu'elle avait en entrant quelques minutes auparavant : celui d'une inconnue avec laquelle il n'avait pas l'intention de faire vraiment connaissance ?

Il n'avait pas pensé, en revanche, à l'effet que la présence si proche de la jeune femme aurait sur lui. Elle semblait si accessible à présent... il ne put s'empêcher de songer que seuls quelques petits boutons de nacre le séparaient de sa peau nue.

— Soyez prudente, déclara-t-il d'une voix suave. Le soleil est traître par ici.

La chaleur qui empourpra les joues de Nicole lui confirma qu'il la troublait. Cette constatation l'emplit d'une certaine jubilation tandis qu'il la conduisait vers la porte du bureau. Quand elle passa devant lui, elle se contenta de le saluer d'un bref mouvement de tête.

Lorsqu'il referma la porte derrière sa visiteuse, Matt affichait un sourire satisfait. Il n'était pas indifférent à Nicole Redman et l'idée d'une liaison avec la jeune femme commençait à germer dans son esprit.

Bien sûr, il n'était pas question de l'épouser. Mais la crainte du mariage ne devait pas le faire renoncer à quelques nuits avec Miss Nouvelle-Orléans. Pourquoi pas, après tout, si Nicole en avait autant envie que lui ? Sa grand-mère n'en saurait rien, bien entendu.

Ses résolutions de se tenir à distance de la « fiancée » que lui avait dénichée Isabella étaient oubliées à présent, et il était impatient de revoir la jeune femme. Tôt ou tard les pérégrinations de celle-ci la conduiraient à Kauri King Park, la plantation de fruits exotiques…

4.

Isabella King aimait prendre le thé près de la fontaine, dans la loggia. En fin d'après-midi, une brise marine venait rafraîchir l'air, et le murmure de l'eau avait toujours eu un effet apaisant sur ses nerfs. De sa place, elle pouvait contempler ce paysage dont elle avait appris à connaître, au fil des ans, les moindres nuances. Elle songea que la plus grande partie de son existence était derrière elle, à présent. Ce qui n'était pas le cas pour la jeune femme assise en face d'elle.

Nicole Redman était très différente de Gina et Hannah, tant par le physique que par le caractère, et pourtant elle possédait, tout comme les deux épouses de ses petits-fils, une qualité essentielle aux yeux d'Isabella : une force intérieure hors du commun. Elle avait beaucoup appris sur la jeune femme en lisant la biographie que celle-ci avait consacrée à son père. Elle avait découvert, en filigrane, que Nicole avait très tôt endossé la lourde responsabilité de chef de famille.

Avec une maturité inhabituelle pour son âge, celle-ci avait minimisé les épreuves traversées pour ne retenir que le bon côté de son enfance vagabonde. Mais pour avoir elle-même été bouleversée par la perte d'êtres chers, Isabella devinait les souffrances que dissimulait ce visage serein.

Elles venaient de passer deux heures dans la bibliothèque, à étudier les lettres et les photos de la Seconde Guerre mondiale ; l'évocation de cette période douloureuse avait ravivé des blessures anciennes chez Isabella. En effet, elle avait perdu son mari et son frère dans ce conflit. Et la situation des immigrés italiens de fraîche date — en tant que citoyens d'un pays en guerre contre les Alliés — était devenue extrêmement difficile en Australie. Bien sûr, ses parents n'avaient pas été inquiétés, puisqu'ils avaient depuis longtemps opté pour la nationalité australienne. Quand l'état du nord du Queensland décida d'interner les ressortissants des pays ennemis, Frederico Valeri proposa au gouvernement de lui donner une partie de ses terres pour y aménager une réserve naturelle où seraient conservées des espèces tropicales. En échange, il prendrait en charge les prisonniers italiens.

Pour rendre les conditions de détention de ces derniers moins pénibles, il décida de les faire travailler à l'aménagement du parc. Dans l'esprit de son père, les travaux forestiers occuperaient utilement les prisonniers et profiteraient à long terme à toute la communauté.

« Après la guerre, Edward et toi pourrez construire votre maison dans ce parc », lui avait-il alors dit. Mais Edward, son mari, n'était pas revenu de la guerre… Et Isabella n'avait jamais vécu dans la maison de Kauri King Park, qui était aujourd'hui celle de Matteo.

Penser à son petit-fils ramena tout naturellement Isabella vers sa compagne. Depuis trois semaines que Nicole vivait à King's Castle, la jeune femme et Matteo ne s'étaient rencontrés qu'une seule fois et Isabella regrettait de n'avoir pas pu assister à leur entrevue.

En effet, elle aurait voulu connaître les raisons de leur indifférence l'un à l'égard de l'autre. Se pouvait-il que la beauté de Nicole ait échappé à son petit-fils ? Comment expliquer, sinon, qu'il n'ait pas tenté de la revoir ?

De son côté, Nicole n'avait pas montré le moindre signe d'intérêt pour lui.

Certes, Isabella savait parfaitement que les causes de l'attirance mutuelle étaient trop complexes pour être prévisibles. Mais elle ne pouvait se résoudre à admettre que rien ne s'était passé entre les deux jeunes gens. D'ailleurs, dans son esprit, la réticence de Nicole à se rendre chez Matteo était bien la preuve qu'il y avait anguille sous roche.

En effet, au cours de ses tournées de repérage, Nicole avait emprunté la plupart des cars de la compagnie de Matteo, sans jamais s'inscrire à la visite de Kauri King Park. C'était d'autant plus surprenant qu'une partie importante de l'histoire familiale s'était jouée là-bas.

Naturellement, Isabella se demandait si Nicole cherchait délibérément à éviter Matteo. La jeune femme se sentait-elle mal à l'aise avec lui ou ce dernier l'avait-il offensée ?

Son plus jeune petit-fils était pourtant un homme affable et d'humeur joyeuse, dont la compagnie était unanimement appréciée. Au premier abord, il paraissait insouciant et sa nonchalance semblait dire que pour lui la vie n'était qu'une partie de plaisir. Pourtant Isabella savait qu'il était de la même trempe que ses frères : aussi conscient de ses responsabilités qu'Alessandro, et tout aussi ambitieux qu'Antonio.

Vraiment, il était impossible qu'il n'ait pas au moins éveillé la curiosité de Nicole ! Bien sûr, elle devait envisager l'hypothèse qu'ils aient tous les deux été troublés par les sentiments qu'ils ressentaient, au point de ne plus vouloir les éprouver de nouveau… C'était d'autant plus plausible que Matteo n'était pas du genre à perdre la tête, et que Nicole — si l'on considérait son passé — aspirait sans doute à une tranquillité bien méritée.

En attendant que ses souhaits se réalisent enfin, Isabella devait prendre son mal en patience et se concentrer sur le travail qu'elle avait entrepris avec la jeune femme. Et puisqu'elles venaient justement d'évoquer la Seconde Guerre mondiale, elle saisit ce prétexte pour inciter Nicole à se rendre à Kauri King Park.

— Demain, je ne pourrai pas vous aider dans vos recherches, déclara-t-elle. Je dois m'occuper de l'organisation d'un mariage. La future mariée et sa mère viendront décider de la décoration de la salle de bal.

— On ne peut rêver d'un endroit plus romantique pour célébrer un mariage !

— Autrefois, nous donnions régulièrement des bals au château ; puis ceux-ci sont passés de mode, mais je n'ai pas voulu laisser ce lieu à l'abandon. J'ai décidé d'en faire une salle de réception. A présent, les mariages à King's Castle sont devenus tellement populaires que nous n'organisons plus que ça !

— Un tel cadre doit rendre la cérémonie vraiment inoubliable.

— C'est aussi mon avis. Le château donne à ses visiteurs — et à ses habitants — un tel sentiment de pérennité... Je trouve qu'on y a davantage conscience du temps qui passe... Kauri King Park procure d'ailleurs la même sensation, vous vous en rendrez compte par vous-même. Pourquoi n'iriez-vous pas demain ? Je pensais justement qu'après notre entretien d'aujourd'hui, ce serait le moment idéal.

Dès l'instant où elle avait mentionné la résidence de Matteo, Isabella remarqua que Nicole s'était imperceptiblement tendue. Et, plus intéressant encore, une légère rougeur avait coloré les joues de sa compagne. Ce n'était certainement pas la perspective de visiter une forêt pluviale, ni même une plantation de fruits exotiques, qui pouvait provoquer une réaction aussi violente. Ces simples indices lui redonnèrent instantanément espoir et, tandis qu'elle attendait la réponse de Nicole, elle commençait déjà à imaginer d'autres occasions de rencontres.

Nicole retint de justesse la protestation qui faillit lui échapper. En effet, comment expliquerait-elle son refus de se rendre à Kauri King Park le lendemain ? Elle savait pertinemment qu'elle avait repoussé le moment de revoir Matt King autant qu'elle l'avait pu. A présent, elle ne pouvait plus reculer.

— Mais n'est-ce pas trop tard pour réserver une place ? objecta-t-elle. Le bus est peut-être déjà complet…

— Si c'est le cas, vous prendrez votre voiture. Le trajet ne dure pas plus d'une demi-heure, et à votre arrivée vous pourrez vous joindre à la visite devant le portail de la propriété.

Sentant son estomac se nouer, Nicole se raccrocha à son dernier espoir : avec un peu de chance, Matt King serait absent. Mais Isabella écarta aussitôt cette éventualité.

— Et ça tombe bien : Matteo est toujours chez lui le jeudi, poursuivit celle-ci. Il vous fournira les renseignements dont vous pourriez avoir besoin.

Nicole avait de plus en plus l'impression qu'un étau se resserrait autour d'elle. Elle ne pouvait pourtant s'en prendre qu'à elle-même… Rien de tout cela ne serait arrivé si elle s'était arrangée pour visiter Kauri King Park un jour où le maître des lieux n'y était pas. Elle savait qu'il travaillait en ville le lundi et le vendredi. Mais aussi surprenant que cela puisse paraître, elle n'avait pas eu le courage de se rendre chez lui, même en son absence.

En outre, Nicole était persuadée que Matt King surveillait ses allées et venues : il n'avait qu'à vérifier la liste des passagers de la compagnie pour savoir si elle s'était inscrite au circuit conduisant à Kauri King Park. Le cas échéant, il pourrait parfaitement l'accueillir à sa descente du bus.

A la pensée de se retrouver en face de lui, elle sentit son pouls s'accélérer. Trois semaines auparavant, sa brève entrevue avec le petit-fils d'Isabella lui avait mis les nerfs à fleur de peau. Et elle était certaine que ce dernier avait eu conscience de son malaise, qu'il en avait joué. Elle se voyait mal revivre la même épreuve.

— Je ne voudrais surtout pas détourner M. King de son travail, protesta-t-elle. Le guide…

— Matteo peut très bien prendre sur son temps pour une visite privée du parc ! répliqua Isabella fermement.

Une « visite privée »… Il ne manquait plus que ça ! pensa Nicole tandis qu'un long frisson parcourait son corps. Elle avait été bien trop subjuguée par la puissance virile qui émanait de Matt King pour vouloir courir le risque de se trouver en tête à tête avec lui !

— J'appellerai Matteo ce soir, pour le prévenir de votre arrivée, conclut Isabella King.

Aux yeux de son employeuse, la question était apparemment réglée. Sans perdre de vue qu'elle se rendait sur les lieux avant tout pour ses recherches, il ne lui restait donc plus qu'à choisir son moyen de transport : l'excursion en car offrait l'avantage de lui permettre de se mêler au groupe de touristes et d'éviter ainsi de se retrouver seule avec Matt. D'un autre côté, si elle allait à Kauri King Park avec sa propre voiture, elle pourrait quitter la propriété quand bon lui semblerait.

A vrai dire, elle n'avait pas encore pris sa décision quand elle se leva pour saluer Isabella King.

— Je vais appeler King Tours pour voir s'il y a encore une place disponible pour demain, annonça-t-elle.

Une brève lueur de satisfaction traversa le regard de la vieille dame, qui lui adressa ensuite un de ces petits saluts de la tête dont elle avait le secret. Nicole admira une fois de plus le port de reine d'Isabella King : le moindre des gestes de celle-ci et ses attitudes dénotaient une force de caractère impressionnante. Très semblable à celle de ses petits-fils.

Nicole avait pressenti qu'elle aurait affaire à une famille hors du commun ; c'était d'ailleurs une des raisons qui lui avaient fait accepter ce travail : elle voulait découvrir où les King puisaient cette force qui semblait les habiter. Le visage de Matt King s'imposa insidieusement à son esprit : elle avait tout de suite remarqué que le jeune homme avait hérité des yeux noirs de sa grand-mère. Et elle y avait lu le même sentiment d'invincibilité.

Tandis qu'elle passait sous le porche menant de la loggia au bâtiment principal du château, elle eut l'impression de pénétrer dans un monde fascinant et mystérieux. Le souvenir du regard intense de Matt flottait dans sa mémoire et elle se rendit compte à quel point le jeune homme l'intriguait. Peu à peu, la crainte qui lui avait fait repousser sa rencontre avec lui commençait à se dissiper.

5.

Accoudé à la rambarde de la terrasse située sur le toit du pavillon, Matt observait les passagers qui descendaient du car. Celui-ci était garé devant le portail de la propriété, à l'extrémité de l'allée de pins kauris. La deuxième phase du plan d'Isabella était enclenchée, songea-t-il, amusé.

Sa grand-mère l'avait appelé la veille pour le prévenir de l'arrivée de Nicole Redman. Elle ne se doutait pas qu'il était parfaitement au courant des allées et venues de la jeune femme ! Ces trois dernières semaines, celle-ci avait sillonné la région en empruntant tous les circuits proposés par King Tours. Tous, sauf celui qui conduisait ici. Et d'après la conversation que Matt avait eue avec sa grand-mère, il apparaissait que l'historiographe de la famille King avait été pratiquement contrainte par son employeuse de venir aujourd'hui. Il ne doutait pas qu'Isabella avait fait preuve de doigté, s'arrangeant pour rendre tout refus impossible. Matt connaissait bien sa grand-mère. Mais cette dernière était-elle consciente de la réticence de Nicole à le revoir ?

Dans son esprit, il ne faisait aucun doute qu'elle femme évitait délibérément de venir à Kauri King Park ; n'importe quel historien sérieux s'y serait rendu dès les premiers jours de son enquête, car la réserve occupait une place importante dans l'histoire familiale. Quant à la raison de ce comportement étrange, il avait beau retourner la question dans tous les sens, il ne parvenait pas à la trouver, sauf à remettre en cause le professionnalisme de la jeune femme. Sa grand-mère — d'ordinaire si perspicace — s'était-elle fait berner ?

Impossible ! songea-t-il. Si Nicole avait pu tromper Isabella au début, il était cependant peu vraisemblable que cette dernière n'ait rien remarqué au bout de trois semaines. A moins, bien entendu, que ses projets matrimoniaux aient plus d'importance à ses yeux que son projet littéraire... Cette éventualité aussi paraissait peu plausible. En effet, jamais sa grand-mère n'accepterait de gaieté de cœur qu'il épouse une femme qui se faisait passer pour ce qu'elle n'était pas.

L'apparition de Nicole Redman interrompit le cours de ses réflexions. Il reconnut aussitôt le grand chapeau de paille orné d'une marguerite. Même à cette distance, la jeune femme se distinguait du lot des touristes, et pas seulement par sa silhouette élancée. Alors que les autres femmes étaient vêtues de shorts et de pantalons légers, de T-shirts et de débardeurs, Nicole portait une jupe fluide et évasée beige, battant légèrement contre ses chevilles, et un chemisier assorti.

Ces vêtements étaient sans doute destinés à la protéger du soleil, mais Matt ne put s'empêcher de trouver qu'ils lui conféraient une allure incroyablement féminine. Le chapeau de paille ajoutait à son élégance, et semblait proclamer — au milieu de tous ces bobs et ces casquettes — que Nicole Redman était unique... et qu'elle le savait.

Tandis qu'elle remontait l'allée, Matt sentit une vague de désir l'envahir. Il se remémora ces nuits sans sommeil durant lesquelles il s'imaginait Nicole Redman, étendue sur son lit, sa chevelure aux reflets de feu éparse sur l'oreiller, son corps d'albâtre offert à ses caresses.

En évitant de se rendre à Kauri King Park jusqu'à présent, la jeune femme n'avait fait qu'exacerber son désir. Cependant, ne voulant à aucun prix lui montrer le pouvoir qu'elle avait sur ses sens, Matt avait réprimé son envie de lui rendre visite à King's Castle. S'il s'était résigné, c'est parce qu'il savait que Nicole finirait par venir à lui, conformément aux plans d'Isabella.

Et aujourd'hui, sa patience était enfin récompensée : la jeune femme franchissait le portail de son domaine. Ignorant à quel point elle avait occupé ses pensées, Nicole devait croire qu'il lui faisait visiter Kauri King Park lui-même pour faire plaisir à sa grand-mère. Cette certitude lui donna le sentiment grisant d'être parfaitement maître de la situation.

Pendant que le guide retraçait les circonstances dans lesquelles les kauris avaient été plantés, soixante ans auparavant, Nicole pencha la tête en arrière pour apercevoir le faîte de ces « géants de la forêt tropicale », comme on les surnommait. C'étaient des arbres immenses dont le large tronc dégarni, sauf au sommet, s'élançait vers le ciel.

Les kauris n'atteignaient certes pas la taille des séquoias majestueux qu'elle avait vus dans la région de San Francisco, mais sans qu'elle sache exactement pourquoi, ils lui semblaient appartenir à un monde plus primitif que ces derniers. Incapable de traduire par des mots cette impression diffuse, elle laissait son regard vagabonder le long de l'imposante allée, quand elle aperçut Matt King qui se dirigeait à grands pas vers elle.

Elle se figea, comme tétanisée par cette apparition. Machinalement, elle remarqua qu'il portait un jean et un polo rouge ; cette tenue décontractée et somme toute banale ne parvenait cependant pas à diminuer l'impression de puissance brute que dégageait son corps athlétique. Elle avait beau se rappeler qu'il venait l'accueillir à la demande d'Isabella King, elle n'en éprouvait pas moins l'impression d'être prise au piège de son magnétisme animal. Et à son grand dam, elle devait reconnaître qu'il l'attirait terriblement.

— Bonjour ! s'exclama-t-il tandis qu'il se rapprochait d'elle.

En entendant sa voix grave, Nicole sentit les battements de son cœur s'accélérer. Espérant parvenir à répondre sur un ton naturel, elle prit une profonde inspiration. « N'oublie pas que tu es ici pour recueillir des informations pour tes recherches », se sermonna-t-elle.

Elle le salua à son tour, d'une voix qu'elle aurait souhaité plus ferme.

— C'est gentil à vous de venir m'accueillir, enchaîna-t-elle. Mais si vous avez des choses plus importantes à faire..., je vous en prie, ne vous gênez pas pour moi.

La lueur ironique qui brillait dans les prunelles sombres fixées sur elle ne laissa aucun doute à Nicole : son embarras n'avait pas échappé à Matt King et il semblait même s'en réjouir.

— Je ne peux rien refuser à ma grand-mère, répliqua-t-il. Et je serais ravi de contribuer au succès de votre entreprise.

— La visite guidée...

— Elle a continué sans vous... Pendant que vous m'attendiez.

Nicole rougit de confusion. L'arrivée du jeune homme lui avait complètement fait oublier où et avec qui elle se trouvait. A présent, elle distinguait les voix de ses compagnons, qui avaient bifurqué sur la gauche, vers un chemin bordé de fougères couleur turquoise.

— Voulez-vous que nous nous joignions à eux ? proposa Matt.

— Oui, s'empressa-t-elle de répondre.

Avec un peu de chance, l'effet que cet homme avait sur elle diminuerait s'ils se trouvaient mêlés à un groupe. Rassérénée à cette idée, Nicole prit à son tour le chemin qu'avaient emprunté les touristes. Matt lui emboîta le pas et, tandis qu'il marchait à son côté, elle eut soudain conscience de la haute stature de son compagnon. Alors qu'elle-même était plutôt grande pour une femme, il la dépassait d'une bonne tête. L'avantage était que le large bord de son chapeau de paille l'empêchait de voir l'expression du visage du jeune homme, et réciproquement, ce qui lui permit de reprendre une contenance.

— Tout se passe comme vous voulez ? demanda-t-il.

Sa question rappela à Nicole le scepticisme dont il avait fait preuve lors de leur précédente rencontre.

— Oui.

— Vous n'êtes pas trop débordée ?

— Par quoi ?

— Par toutes ces informations qu'il va falloir trier pour en tirer une histoire cohérente.

— Oh, la tâche n'est pas aussi titanesque que vous semblez le croire ! L'histoire de votre famille présente une logique intrinsèque.

— C'est sans doute le cas pour tout le monde, fit-il sèchement remarquer. J'imagine que votre vie aussi suit une « logique ».

— J'avoue que je n'avais jamais considéré les choses sous cet angle, mais ça doit être vrai.

— A moins que vous ne préfériez vivre au jour le jour, sans savoir ce que l'avenir vous réserve ?

— Certainement pas !

— Pourtant, vous avez une nature plutôt aventureuse. Sinon vous n'auriez pas accepté de passer six mois dans cette région au climat particulièrement pénible pour vous.

Voilà qu'il remettait ça ! songea Nicole. Pourquoi Matt King tenait-il tellement à lui faire admettre qu'elle avait commis une erreur en acceptant de venir travailler pour sa grand-mère ? Avec un sentiment de satisfaction perverse, elle fut ravie de lui clouer le bec.

— Le climat me convient parfaitement, répliqua-t-elle. En fait, je déteste le froid.

— Vous prétendez que la chaleur ne vous semble pas oppressante ?

— Si : quand je sors aux moments les plus chauds de la journée.

— D'autant plus qu'avec votre teint clair, vous devez penser à vous protéger des rayons du soleil.

— J'ai pris l'habitude, depuis le temps.

— En tout cas, vous n'avez plus besoin de votre chapeau, à présent. Nous sommes à l'ombre et je déteste m'adresser à quelqu'un sans le voir.

Le premier réflexe de Nicole fut d'ignorer cette remarque, qui ressemblait un peu trop à un ordre. Puis, redoutant qu'il ne lui ôte son couvre-chef lui-même, Nicole se ravisa. Suffisamment troublée par la présence si proche de Matt, elle préférait éviter tout contact physique, aussi anodin soit-il. D'autant que le jeune homme avait raison : le soleil ne pouvait pas traverser l'épais feuillage des plantes tropicales.

— Voilà ! Ne vous sentez-vous pas mieux ? déclara Matt quand elle eut ôté son chapeau.

Levant les yeux, elle reçut comme un choc le regard chargé de sous-entendus de son compagnon, qui lui donna l'impression qu'il l'aurait volontiers dévêtue tout entière. La brusque révélation qu'il était aussi attiré par elle que réciproquement la laissa abasourdie.

Espérant qu'il n'avait pas remarqué son trouble, elle accéléra le pas pour rejoindre le groupe de touristes auquel le guide décrivait à présent les différentes sortes de fougères ; une fois que les battements erratiques de son cœur se furent calmés, elle se rappela qu'elle était ici pour prendre des notes et repérer ce qui pourrait servir de support visuel pour le chapitre de son livre consacré au parc. Fermement déterminée à ne pas se laisser détourner de sa tâche par le chaos de ses émotions, elle fouilla son sac à la recherche de son carnet et de son stylo. Dans son agitation, elle fit tomber son chapeau.

Rapide comme l'éclair, Matt se baissa pour le ramasser.

— Je le garde, déclara-t-il. Il vous encombre.

Elle n'osa pas protester. La certitude qu'il insisterait pour lui remettre le chapeau lui-même, dès que le soleil réapparaîtrait, lui fit monter le rouge aux joues.

— Merci, se contenta-t-elle de marmonner en extirpant ce qu'elle cherchait de son sac.

Puis, elle passa la courroie de son appareil photo autour de son cou. Quelle ne fut sa surprise de constater, en levant la tête, que Matt s'était encore approché d'elle ! Avant qu'elle ait pu esquisser le moindre mouvement, il glissa la main sous son épaisse chevelure qu'il souleva pour la dégager de la lanière de cuir.

Les pommettes brûlantes et le cœur battant la chamade, Nicole se figea, comme pétrifiée.

— Je voulais libérer vos cheveux, se justifia Matt.

Il ne retira pas pour autant sa main ; bien au contraire, avec un naturel désarmant, il effleura ladite chevelure sur toute sa longueur avant de reculer d'un pas.

Nicole ne savait comment réagir. Plus que cette caresse — troublante par l'intimité qu'elle suggérait — c'était la réaction de son corps qui la stupéfiait. Elle n'avait jamais éprouvé une sensation pareille : il avait suffi d'un geste de Matt King pour éveiller son désir.

Dans l'espoir illusoire de masquer son émoi, elle ouvrit son carnet et commença à noter fébrilement des mots saisis au vol dans les explications du guide. Quand elle les relirait, elle ne comprendrait sans doute rien à ces bribes de phrases sans queue ni tête, mais pour l'instant, elles lui permettaient de se donner une contenance.

Son agitation ne l'empêchait pas, toutefois, d'être consciente de la présence de Matt, et du regard de celui-ci qui pesait sur elle.

Au prix d'un effort considérable, elle parvint enfin à se ressaisir. Après tout, elle était peut-être seulement victime de son imagination galopante. Elle décida donc d'attendre que Matt parle le premier. Si elle lui plaisait, il n'avait qu'à le dire clairement, et dissiper un éventuel malentendu. S'il se taisait, cela signifiait tout simplement que l'attirance physique était une chose… et l'envie d'aller plus loin, une autre ! conclut-elle avec fatalisme. Peut-être qu'il pensait qu'une liaison avec elle comporterait plus d'inconvénients que de bons côtés…

Nicole, quant à elle, ne voulait surtout pas se ridiculiser en faisant des avances au petit-fils de son employeuse. Si elle prenait ce risque, il ne lui resterait aucune issue de secours : son contrat stipulait qu'elle devait rester encore cinq mois à King's Castle, et elle allait certainement être amenée à rencontrer Matt à diverses occasions.

Toutefois, si son amour-propre lui dictait de ne pas faire le premier pas, elle n'en restait pas moins suspendue aux lèvres de son compagnon pour connaître sa réaction.

La frustration l'envahit quand elle se rendit compte que celui-ci agissait comme si rien de particulier ne s'était passé. Quelques instants plus tard, ils avaient réintégré le groupe et suivaient le guide. Nicole prenait des photos chaque fois qu'elle voyait ses compagnons en prendre — sans se soucier de savoir si elles lui seraient utiles pour son ouvrage. En fait, elle cherchait avant tout à s'occuper pour éviter de penser à Matt King.

Son zèle n'échappa apparemment pas à l'œil sagace de son compagnon.

— Vous mitraillez tout ce qui bouge pour votre album personnel, ou vous pensez que ces images ont de l'intérêt pour votre futur livre ? demanda-t-il d'un ton narquois.

— N'ayant pas encore écrit mon texte, j'ignore quelle photo je choisirai pour l'illustrer, répliqua Nicole sèchement. Je préfère donc avoir un vaste choix de prises de vue à ma disposition.

— Où en êtes-vous de votre travail ?

— Je n'en suis encore qu'au stade des notes.

— C'est bien ce que je pensais...

Le ton dubitatif et la lueur de scepticisme qui traversa le regard du jeune homme indiquèrent à Nicole qu'il ne la croyait pas capable de dépasser le stade de l'ébauche. Un sursaut de fierté lui fit aussitôt redresser la tête. De quel droit Matt King mettait-il en doute son professionnalisme ? Une petite voix intérieure lui souffla cependant qu'il avait toutes les raisons de le faire, s'il se fiait à ce qu'il voyait. Elle ruminait encore des réponses cinglantes quand Matt poursuivit :

— Je possède chez moi une importante collection de photos anciennes. Et je suis convaincu que, du point de vue historique, elles présentent plus d'intérêt que celles que vous venez de prendre. Elles montrent le parc au cours des différentes étapes de sa création.

— Pourquoi ne me l'avez-vous pas dit plus tôt ?

— Oh, j'étais curieux de voir ce que vous estimiez intéressant… De plus, vous auriez pu me le demander, déclara-t-il avant d'ajouter avec un sourire moqueur : c'est pour cette raison que je m'étais mis à votre disposition, aujourd'hui. Mais peut-être que vous pensiez que j'avais abandonné mon travail pour le plaisir de porter votre chapeau ?

En cet instant, Nicole aurait voulu disparaître dans un trou de souris. La présence de Matt l'avait à ce point bouleversée — sur le plan physique et émotionnel — qu'elle n'avait pas un instant songé à profiter de la connaissance qu'il avait de l'histoire de Kauri King Park. Désireuse de rattraper ce faux pas, elle parvint à plaquer un sourire contrit sur ses lèvres.

— Je suis désolée. A vrai dire, j'étais tellement fascinée par le parc tel qu'il est aujourd'hui…, commença-t-elle avant d'ajouter : vous devez me prendre pour une fumiste !

Elle avait prononcé cette dernière phrase sur le ton de la plaisanterie, dans le but de détendre l'atmosphère. Quel ne fut son étonnement quand Matt répliqua, le plus sérieusement du monde :

— C'est ce que vous êtes ?

Choquée qu'il puisse avoir une aussi piètre opinion d'elle, Nicole s'arrêta brusquement. Levant la tête pour le fusiller du regard, elle rencontra deux prunelles sombres qui la fixaient avec une incroyable intensité.

— Non ! protesta-t-elle fougueusement.

Matt inclina la tête sur le côté comme s'il se demandait s'il devait ou non la croire, avant de déclarer :

— Voyez-vous une raison particulière de suivre cette visite guidée ?

— Je suis venue avec eux !

— Je veillerai à ce que vous rentriez avec eux, si vous y tenez. Et si vous manquez le bus, je vous reconduirai moi-même à Port Douglas.

A l'idée de passer quelques heures seule avec Matt King, Nicole sentit ses jambes flageoler. De nouveau, elle avait l'impression de tomber dans un piège tendu par Matt. Elle voulut résister de toutes ses forces.

— Le groupe se dirige vers le pavillon ! s'écria-t-elle. Je voulais tellement le voir de près !

Un sourire indéchiffrable étira les lèvres de Matt tandis qu'il l'invitait d'un geste de la main à reprendre la visite. Mais il se chargea lui-même des explications.

— A l'origine, ce pavillon était un lieu de détente pour les prisonniers. A l'arrière, il donne sur les courts de tennis. De la terrasse située sur le toit, on pouvait assister aux tournois.

— Et c'est votre arrière-grand-père qui a conçu tout ça, intervint Nicole, voulant montrer qu'elle s'était renseignée avant de venir.

Matt acquiesça d'un signe de tête avant de poursuivre :

— Comme vous pouvez le remarquer, l'architecture est fortement imprégnée d'influence italienne.

— Il ne manque que la fontaine !

— Mais il y en a plusieurs ! s'exclama-t-il en riant. Elles sont de l'autre côté. En fait, rien ne manque, car quand Frederico Stefano Valeri entreprenait quelque chose, il le faisait à fond.

— Et vous ? laissa échapper Nicole.

Matt accueillit sa question avec une moue taquine.

— L'histoire en jugera, répliqua-t-il avant d'ajouter : maintenant que vous avez vu le pavillon, que comptez-vous faire ?

— Je pensais poursuivre par la visite de la plantation de fruits exotiques.

— Je ne pense pas que cela soit d'un grand intérêt pour vous. Vous trouverez des dépliants avec les renseignements sur la plantation dans le pavillon. Je vous propose plutôt de venir chez moi. Vous vous épargnerez une marche inutile en plein soleil.

Il avait appuyé cette dernière remarque d'un sourire entendu.

Nicole savait qu'elle n'avait pas vraiment le choix. Si elle s'obstinait à trouver des prétextes pour éviter de venir chez lui, elle ne ferait que le conforter dans l'opinion qu'elle n'était pas à la hauteur de la tâche que lui avait confiée Isabella King. Elle ne pouvait quand même pas lui avouer qu'elle redoutait de se retrouver seule avec lui sous son toit !

— Je pensais vous faire goûter ma sélection personnelle de fruits exotiques. Et vous pourrez prendre autant de rafraîchissements que vous voudrez, insista-t-il.

Au regard moqueur que Matt lui lança, Nicole comprit qu'il savait parfaitement qu'elle ne voulait pas l'accompagner. Mais sa réticence, au lieu de le décourager, semblait avoir stimulé sa volonté de l'attirer sur son terrain.

Dans quel but ? ne put-elle s'empêcher de se demander. Tenterait-il de la séduire, une fois qu'ils seraient seuls ? A cette pensée, elle sentit une vague de chaleur envahir son corps et elle eut soudain envie de se donner à cet homme. Elle se rendait compte, pourtant, qu'une liaison avec Matt King ne mènerait nulle part. Certes, elle ne pouvait nier que l'attirance sexuelle qui existait entre eux était d'une puissance exceptionnelle, mais son instinct lui soufflait que quelque chose clochait dans le comportement du jeune homme.

Ce qui signifiait qu'elle devait rester sur ses gardes, si elle ne voulait pas perdre des plumes dans cette histoire.

6.

Malgré la présence troublante du maître des lieux, Nicole fut immédiatement séduite par la maison nichée dans un écrin de végétation luxuriante. Avec ses murs extérieurs peints en vert, la bâtisse s'intégrait parfaitement dans son environnement. Si on se fiait à son cadre de vie, Matt King était un amoureux de la nature qui n'avait pas pour autant renoncé au confort moderne. L'air conditionné et les dalles d'ardoise recouvrant le sol procuraient en effet une sensation de fraîcheur bienvenue après la chaleur qui régnait à l'extérieur.

D'un côté du vaste salon, dont les murs étaient ornés de tableaux représentant la forêt tropicale ou la Grande Barrière de Corail, trois canapés de cuir vert foncé formaient un U autour du téléviseur. Le coin salle à manger se trouvait de l'autre côté, et n'était séparé de la cuisine que par une demi-cloison. Une baie vitrée, sur toute la longueur de la pièce, donnait sur la terrasse.

— Je vais chercher les rafraîchissements, déclara Matt en se dirigeant vers la cuisine. Posez donc vos affaires sur la table, et allez faire un tour sur la terrasse : comme elle surplombe la rivière, l'air y est plus frais.

Espérant que le murmure de l'eau l'aiderait à se détendre, Nicole suivit le conseil de son hôte. Celui-ci ne s'étant pas montré plus entreprenant depuis qu'ils avaient franchi le seuil de sa maison, elle s'était peut-être affolée pour rien.

Dès qu'elle eut poussé la porte coulissante, elle fut attirée par le doux clapotis en contrebas. L'eau vive ricochait sur les rochers, d'où elle retombait en une suite de petites cascades. Nicole s'accouda à la rambarde et oublia aussitôt ses préoccupations pour admirer le spectacle charmant des gouttelettes cristallines éclaboussant les fougères de la rive.

Des oiseaux au plumage bariolé — doré, pourpre ou écarlate — voletaient parmi les branchages, joignant leur gazouillis au chant du ruisseau. Quel endroit magique ! songea-t-elle. Matt King avait une chance incroyable de vivre dans ce jardin d'Eden.

Perdue dans sa contemplation rêveuse, elle n'entendit pas son hôte approcher.

— Ne bougez pas, murmura-t-il. Des papillons se sont posés sur vos cheveux.

A l'idée que sa présence n'avait pas effarouché les insectes, Nicole se sentit étrangement émue et elle n'eut aucune peine à rester immobile. Elle entendit le bruit d'un plateau qu'on posait doucement sur la table basse, puis les pas de Matt qui s'éloignaient vers l'autre extrémité de la terrasse avant de revenir vers elle. Du coin de l'œil, elle vit qu'il tenait une fleur d'hibiscus rouge dans la main. Quand il la brandit sous ses yeux, deux papillons d'un bleu éclatant vinrent s'y poser un instant, avant de s'éloigner en voltigeant.

— Oh ! s'extasia Nicole dans un souffle. Ils sont splendides !

— Ce sont des *Ulysses*. Ils ont été attirés par l'éclat de vos cheveux.

Encore sous le coup de l'émotion, Nicole dévisagea Matt, surprise par le ton soudain grave de ce dernier. Son émerveillement naïf semblait l'avoir touché, comme s'il était heureux de découvrir que leur goût commun pour la nature présageait un terrain d'entente.

Progressivement, cependant, le regard fixé sur elle s'éclaira d'une lueur sans équivoque et Nicole se raidit de nouveau.

— Je me demande d'ailleurs qui serait capable de résister à leur flamme, reprit-il d'une voix rauque. Les hommes, tout comme les papillons, doivent s'y brûler.

— Vous exagérez mes pouvoirs ! rétorqua Nicole sèchement. Si je suis la femme fatale que vous décrivez, comment se fait-il que vous ne soyez pas encore tombé à mes genoux ?

Si elle avait espéré clouer le bec à Matt, elle en fut pour ses frais : sa dernière remarque, au lieu de le contrarier, le fit éclater de rire. Et ce fut elle qui resta sans voix quand il effleura sa joue avec l'hibiscus qu'il tenait toujours à la main. Profondément troublée par ce geste d'une sensualité incroyable, elle sentit un long frisson la parcourir.

— La vie nous réserve bien des surprises, déclara-t-il énigmatiquement. A ce propos, que diriez-vous de vous laisser surprendre par des saveurs exotiques ?

Reculant d'un pas, Matt l'invita à s'approcher de la table en bambou sur laquelle il avait déposé un plateau. En son centre trônait un plat chargé d'un assortiment de fruits exotiques, découpés en fines tranches et prêts à être dégustés. Il y avait aussi deux petites assiettes, des couverts et…

— Du champagne ! s'exclama Nicole.

Incrédule, elle contempla les deux flûtes en cristal.

— C'est ce qui se marie le mieux avec les fruits, lui assura-t-il d'un ton péremptoire.

Nicole n'osa pas protester, même si elle pensait que boire de l'alcool au beau milieu de la journée n'était pas recommandé. Comprenant que son hôte attendait qu'elle prenne place dans un des deux fauteuils, elle s'assit. Matt posa ostensiblement l'hibiscus juste à côté de son verre, avant de s'asseoir à son tour. La vue de la fleur écarlate lui rappelant à quel point cet homme lui faisait facilement perdre la tête, Nicole se promit de ne pas abuser du champagne.

— Nous allons commencer par le durion et le mangoustan des fruits exotiques méconus, déclara Matt avant de déposer deux tranches dans son assiette.

Après les avoir savourés, Nicole déclara préférer le mangoustan, au léger goût de framboise.

— C'est souvent le cas : le durion séduit rarement de prime abord, répliqua Matt avec un sourire en coin. Mais une fois qu'on y a pris goût, on ne peut plus s'en passer...

Nicole n'eut pas le temps de se demander si son compagnon faisait allusion à lui-même — de façon détournée —, car celui-ci avait déjà posé un nouveau fruit dans son assiette.

— Voici la sapote.

Nicole se délecta avec gourmandise du petit fruit charnu et très mûr, dont le goût lui rappelait le flan au chocolat. Elle n'avait pas besoin de lever les yeux pour deviner que Matt l'observait, et cette présence attentive ajoutait au plaisir purement sensuel que lui procurait sa dégustation. Quand elle eut terminé, il leva son verre et déclara :

— Avant de poursuivre, nous allons boire un peu de champagne. Cela évitera que les différentes saveurs ne se mélangent.

Nicole obtempéra, et tandis qu'elle buvait une gorgée du pétillant breuvage, elle observa son compagnon du coin de l'œil. Son regard était irrésistiblement attiré vers la bouche de Matt et elle se demandait quel goût auraient ses lèvres si celui-ci s'avisait de l'embrasser.

Dans un sursaut de lucidité, elle tenta de s'arracher au cours langoureux que prenaient ses pensées. En vain, car dès qu'elle eut reposé sa flûte, Matt lui fit goûter un longane, et la dégustation continua. La succession de saveurs inhabituelles et surprenantes se transforma peu à peu en un jeu dont la connotation érotique ne lui échappa pas. Chacun à son tour, ils prenaient une bouchée, qu'ils laissaient fondre contre leur palais pour ensuite partager leurs impressions.

Nicole vivait une expérience excitante à bien des points de vue. Ce qu'elle éprouvait pour Matt King allait au-delà de l'attirance pour un homme incroyablement séduisant. En fait, il avait éveillé en elle des aspirations profondément enfouies. En sa présence, la terrible sensation de vide qu'elle avait si souvent ressentie au cours de sa vie semblait disparaître comme par enchantement.

Elle se demandait si cette qualité que Matt King possédait, et qu'elle n'arrivait pas à définir avec des mots, lui venait de son héritage familial. Cet attachement profond à ses racines, le sentiment de continuer l'œuvre entreprise par ses ancêtres... Tout cela avait forgé l'homme qu'il était devenu. Nicole, en revanche, avait l'impression de n'être nulle part à sa place et elle se prenait à rêver que Matt King lui ouvre les portes de *son* monde.

— Reprendrez-vous du champagne ?

La question de son compagnon la rappela à la réalité ; légèrement hébétée — comme si elle s'éveillait après un rêve —, elle baissa les yeux vers sa flûte pour constater qu'elle était effectivement vide.

— Non, merci ! répondit-elle précipitamment, avant d'ajouter sur un ton plus posé : c'était délicieux. Et le cadre est vraiment enchanteur.

— J'en conclus que ma compagnie ne vous a finalement pas été trop pénible.

Nicole dut reconnaître intérieurement que ses appréhensions s'étaient dissipées, mais l'allusion de Matt lui rappela le comportement parfois énigmatique du jeune homme. Et si la complicité qu'elle avait cru déceler dans le regard de son compagnon n'était que le fruit de son imagination ? Dans le doute, elle préféra rester sur ses gardes et ne pas tenir pour acquis que leur attirance était mutuelle.

— Voulez-vous voir les photos, à présent ? poursuivit-il.

— Volontiers.

— Maintenant, vous me faites penser à une petite fille sage ! s'exclama Matt en riant. Vous êtes vraiment pétrie de contradictions, mademoiselle Redman !

— Je ne m'en étais jamais rendu compte, répliqua-t-elle avec désinvolture, tout en se levant pour suivre son hôte dans la maison.

— Cela constitue pourtant une partie de votre charme. Et j'avoue que j'aimerais assez en connaître davantage sur vous. Mais ce n'était pas le but de votre visite ici... ?

— Non.

Que pouvait-elle répondre d'autre ? Si Matt King désirait en savoir plus, rien ne l'en empêchait... Mais, il ne s'intéressait pas vraiment à elle. En tout cas, pas de la façon dont elle l'aurait souhaité. Tout ce qui importait à cet homme était de la mettre mal à l'aise avec ses questions et ses remarques incongrues !

Retournant ses pensées déprimantes dans son esprit, Nicole traversa le salon en silence, jusqu'au bureau contigu. Malgré une grande fenêtre offrant une vue spectaculaire sur le parc, cette pièce était entièrement dédiée au travail. Sur l'imposant bureau se trouvait tout l'équipement moderne pour travailler à domicile : un ordinateur avec son imprimante, un fax et une photocopieuse. Des étagères basses remplies de classeurs et de dossiers couraient le long d'un des murs ; une série de grandes photos encadrées étaient suspendues à mi-hauteur du mur, représentant le parc lors des différentes étapes de son histoire.

Avant même que Matt ait prononcé un mot, Nicole fut attirée par le cadre accroché au-dessus de la photocopieuse.

— Il s'agit du plan original tel qu'il a été dessiné par mon arrière-grand-père, déclara-t-il après avoir suivi son regard.

La précision dans les moindres détails dénotait un esprit de perfection impressionnant, songea Nicole. Et une personnalité visionnaire !

— Serait-il possible d'en avoir une copie ?

— Bien sûr. A présent, j'aimerais vous montrer ceci, continua-t-il en lui désignant le cadre qui se trouvait près de la porte. Ce sont les bambous. Ces végétaux à croissance rapide furent plantés en premier, tout le long des clôtures. Les prisonniers avaient ainsi moins l'impression d'être enfermés.

Frederico Valeri avait fait preuve d'une prévenance exemplaire à l'égard des prisonniers dont il avait la responsabilité. C'était décidément un homme remarquable ! Cette impression lui fut d'ailleurs confirmée par la suite. Tout en écoutant les commentaires de Matt, Nicole se demanda si la générosité et la grandeur d'âme se transmettaient de génération en génération.

Elle ne doutait pas que Matt King ait hérité de la force physique et mentale de Frederico Valeri. Mais qu'en était-il des qualités de cœur ? Possédait-il l'altruisme de son bisaïeul ? Etait-il prêt à se battre pour défendre ceux qui n'avaient pas sa force ?

La plupart des gens étaient mesquins, seulement préoccupés par leur propre intérêt. Ils ne tentaient pas de rendre le monde meilleur. D'après ce que Nicole avait appris jusqu'à présent sur les Valeri et les King, c'était pourtant ce qu'ils s'efforçaient de faire, et la poursuite de leurs intérêts ne s'était jamais réalisée au détriment d'autrui.

A ce point de ses réflexions, elle avait complètement perdu le fil des explications de son hôte. Son regard fut irrésistiblement attiré par le bras qui pointait la dernière photo. Elle pouvait voir le jeu des muscles puissants sous la peau hâlée. Son propre bras semblait si pâle, en comparaison ! Peut-être était-ce justement ce contraste qui la fascinait et rendait Matt si séduisant à ses yeux ?

Brusquement, il laissa retomber son bras et elle s'aperçut qu'il avait cessé de parler. Lorsqu'elle leva les yeux, elle vit qu'il la dévisageait. N'ayant pas entendu ce qu'il venait de lui dire, elle préféra se taire pour ne pas se trahir.

— Je peux également vous procurer les originaux des photos, si vous le souhaitez, déclara-t-il.

Nicole comprit que l'esprit de Matt était à mille lieues de leur conversation.

— Je me contenterai de copies. Les originaux sont trop précieux.

— Comme vous voudrez. Je vous les apporterai au château dès qu'elles seront prêtes.

— Merci.

— Dites-moi la vérité : vous ne vous en sortez pas, n'est-ce pas ? demanda-t-il brusquement.

— Quoi ?

— Ce serait plus honnête envers ma grand-mère, si vous en conveniez maintenant.

— Je ne comprends pas de quoi vous parlez !

— Bon sang ! Quand cesserez-vous cette mascarade ?

Nicole retint un cri de frayeur quand Matt la saisit par les épaules, comme s'il voulait la secouer.

— C'est un terrible malentendu, protesta-t-elle dans un sursaut d'énergie. Laissez-moi partir !

Contre toute attente, Matt la relâcha immédiatement. Mais la lueur féroce qu'elle découvrit dans son regard ne la rassura nullement.

— Jusqu'à présent, votre physique et vos dons de comédienne vous ont peut-être permis de berner votre monde, déclara-t-il d'une voix glaciale. Mais la performance à laquelle j'ai assisté aujourd'hui est loin de m'avoir convaincu de vos compétences !

— C'est votre faute ! rétorqua Nicole. Vous me rendez nerveuse...

— Vous savez pourquoi je vous rends nerveuse, Nicole ? Parce que j'ai vu clair dans votre jeu.

Effrayée par la fureur contenue qui émanait de Matt King, Nicole recula d'un pas. L'attirance qu'elle avait éprouvée pour son compagnon s'était volatilisée, et elle voulait à présent comprendre la cause de cette agressivité.

— Quel « jeu » ? balbutia-t-elle. Pour qui me prenez-vous, au juste ?

— Pour une jeune femme mystérieuse que j'ai rencontrée à La Nouvelle-Orléans, il y a dix ans.

Nicole crut avoir mal entendu : Matt venait-il de mentionner La Nouvelle-Orléans ? Il était là-bas quand elle-même s'y trouvait avec son père ?

— Inutile de nier : je ne risquais pas de vous oublier ! Votre image est restée gravée dans ma mémoire pendant tout ce temps.

— Mais... Je ne me souviens pas de vous.

— Je portais un masque, cette nuit-là.

— Quelle nuit ?

— C'est vrai, vous devez avoir passé pas mal de nuits à raconter vos histoires à dormir debout. Vous étiez si douée !

— Oui, j'étais douée ! s'écria Nicole en relevant fièrement la tête. Qu'est-ce que ça prouve ?

— Que vous n'avez pas changé, répliqua Matt avec cynisme. Vous continuez à endormir la méfiance des gens pour leur débiter vos sornettes. Votre visage d'ange et votre air innocent les séduisent, et vous en profitez pour leur soutirer de l'argent.

Nicole fut trop abasourdie par cette description si peu flatteuse pour penser à se défendre. Mais une vague de colère commença à l'envahir, dissipant le choc qu'elle avait d'abord ressenti. De quel droit l'accusait-il d'être une sorte d'escroc ? Elle admettait avoir pris des libertés avec la stricte vérité historique, alors qu'elle guidait les touristes à travers le Vieux Carré, mais c'était dans le but louable — à son avis — de distraire ces derniers.

— C'était mon travail ! s'écria-t-elle. Je n'avais pas le choix. Je suivais un scénario rédigé à l'avance, et je n'ai berné personne. Mes clients voulaient une « visite hantée » et je leur en donnais pour leur argent.

— Et dix ans plus tard, vous prétendez écrire un livre ? Je vous assure que vous étiez plus convaincante en sorcière.

— Si j'ai manqué de professionnalisme aujourd'hui, c'est parce que je ne suis pas habituée à travailler dans une ambiance aussi hostile !

— Vous m'accusez de vous avoir mis des bâtons dans les roues, alors que je vous ai donné toutes les chances de prouver que vous étiez à la hauteur ? Vous n'écoutiez même pas mes explications, il y a quelques minutes à peine !

— Je réfléchissais.

Le regard de Matt quitta son visage pour la parcourir de la tête aux pieds.

— Moi aussi, quelle coïncidence ! Et savez-vous à quoi je pensais… ? Que nous nous entendrions sûrement à merveille au lit.

Médusée, et les pommettes en feu, Nicole dévisagea Matt pendant des secondes qui lui semblèrent durer une éternité. Dans son désarroi, elle s'accrocha à la seule pensée positive qui lui vint à l'esprit : elle ne s'était pas trompée en ce qui concernait leur attirance sexuelle réciproque ! Cette constatation ne lui apporta pourtant aucun réconfort. Après ce que Matt venait de lui dire, elle n'avait plus aucune envie de partager son intimité. Rassemblant les lambeaux de sa dignité, elle le fusilla du regard.

— Veuillez m'excuser, déclara-t-elle froidement. Je vais retrouver le groupe.

Sur quoi, elle sortit du bureau d'un pas miraculeusement assuré, pour aller prendre son chapeau et son sac sur la table du salon. Seuls ses doigts tremblaient.

— Vous ne trouverez pas votre salut dans la fuite.

Lorsqu'elle entendit la voix narquoise de Matt dans son dos, son sang ne fit qu'un tour. Elle se retourna. Son hôte était nonchalamment appuyé contre le montant de la porte du bureau ; toute son attitude montrait qu'il était parfaitement détendu et maître de lui-même. Un sourire ironique flottait sur ses lèvres.

— Reconnaissez que vous ne vous en sortirez pas toute seule, déclara-t-il. Je pourrais engager quelqu'un pour vous aider…

Décidément, aucune humiliation ne lui serait épargnée ! songea Nicole. Mais elle n'allait pas se laisser faire sans piper mot.

— Et en échange de votre aide, je devrais coucher avec vous ? demanda-t-elle d'un ton plein de mépris.

Elle eut la maigre satisfaction de voir le sourire insupportable de Matt King s'évanouir.

— Je n'ai pas pour habitude de marchander des faveurs sexuelles, déclara-t-il.

— Moi non plus ! Et si je peux vous donner un conseil, qui, personnellement, m'a beaucoup servi : ne vous fiez jamais aux apparences. Vous pourriez aussi vérifier mes références auprès de votre grand-mère, car nous allons inévitablement être amenés à nous revoir, et je commence à en avoir assez de votre suspicion.

Puis, en prenant garde de ne pas marcher trop vite, elle sortit de la demeure. Elle ne voulait surtout pas donner à Matt l'impression qu'elle fuyait. A son grand soulagement, il ne tenta pas de la suivre — heureusement, car elle n'aurait pas supporté qu'il voie les larmes qui perlaient au bord de ses paupières. Une colère sourde, mêlée de frustration et de déception, l'envahit. Plus jamais elle ne se laisserait captiver par le charme dévastateur de ce goujat !

7.

En route pour King's Castle, où sa grand-mère l'avait convié au repas de famille dominical, Matt calculait mentalement qu'il lui faudrait supporter la présence de Nicole Redman pendant quatre heures tout au plus. Afin de ne pas heurter Isabella, il se montrerait poli avec la jeune femme ; il ferait même mine de s'intéresser à l'avancement de ses recherches, puis il passerait le reste de l'après-midi à bavarder avec ses frères.

Que Nicole s'enferre donc dans ses mensonges ! Ce n'était pas lui qui allait la dénoncer... Il lui donnerait les documents qu'elle lui avait demandés, et sa contribution à l'historiographie familiale s'arrêterait là !

Ses réflexions le ramenèrent tout naturellement à leur dernière rencontre. Dix jours s'étaient écoulés depuis qu'il avait dit à la jeune femme ce qu'il pensait d'elle. Il devait reconnaître qu'elle ne s'était pas démontée devant ses accusations. Avec quel culot elle avait affirmé que c'était son hostilité à lui qui l'avait poussée à agir en dépit du bon sens ! Pourtant, elle n'avait pas eu l'air de trouver son attitude hostile, sur la terrasse, quand ils avaient partagé le plateau de fruits exotiques.

Matt se mordait les doigts de n'avoir pas saisi sa chance à ce moment-là. A présent, la magie s'était bel et bien envolée.

Peut-être valait-il mieux, après tout, qu'il ne se soit rien passé entre eux, se raisonna-t-il. Etant donné la duplicité foncière de Nicole, il était probable qu'une aventure avec elle n'aurait pas été à la hauteur des fantasmes que sa beauté avait éveillés.

Après le départ de Nicole Redman, il avait décidé qu'à l'avenir, il ne se préoccuperait plus des faits et gestes de la jeune femme. Sa grand-mère ne tarderait pas à se rendre compte que ses projets matrimoniaux avaient complètement échoué et elle serait forcée d'assumer les conséquences de son choix. Aux yeux de Matt, si l'histoire de la famille n'était pas terminée à l'échéance du contrat, ce ne serait pas un drame. Il suffirait d'engager quelqu'un de sérieux pour achever l'ouvrage. Et tout le monde oublierait Nicole Redman.

Certes, Isabella serait déçue. Mais il ne doutait pas qu'elle se consolerait rapidement de cet échec. En effet, son frère Tony ayant fortement insisté pour qu'il vienne à ce déjeuner, il en avait déduit que lui et sa femme, Hannah, voulaient annoncer à toute la famille réunie la naissance prochaine de leur premier enfant. Tony et Hannah n'étaient mariés que depuis trois mois, mais ils avaient toujours affirmé leur désir de fonder une famille nombreuse.

Sa grand-mère aurait donc toutes les raisons de se réjouir, aujourd'hui. La présence des enfants de Gina et Alex, ajoutée à l'annonce probable de l'arrivée d'un nouvel arrière-petit-enfant, comblerait certainement la vieille dame, et l'empêcherait de trop se focaliser sur sa vie sentimentale. Il espérait également que cette déception ferait passer à Isabella le goût de se mêler de ses affaires. Bien sûr, il comptait se marier un jour, mais il choisirait lui-même le moment opportun… et sa future épouse.

Quand il arriva au château, il aperçut la Mercedes d'Alex, garée sur le parking privé, non loin de l'aire d'atterrissage où était stationné l'hélicoptère de Tony. Ses frères et leur famille étaient déjà arrivés, constata-t-il avec satisfaction. La froideur qu'il comptait adopter à l'égard de Nicole passerait inaperçue au milieu de tout ce monde. Durant le repas, ce serait plus délicat, car il était persuadé que sa grand-mère avait prévu de les placer côte à côte à table. L'idée qu'il ne pourrait complètement ignorer la jeune femme lui donna l'insupportable sensation de se retrouver le dos au mur.

Après avoir garé sa voiture, il se dirigea vers l'entrée de service, avec l'intention d'aller saluer Rosita dans la cuisine. La gouvernante était la confidente d'Isabella depuis plus de vingt ans et elle était généralement au courant des projets de cette dernière ; Matt savait qu'il glanerait auprès d'elle les dernières nouvelles au sujet des habitants du château.

Il trouva Rosita devant son plan de travail, en train de goûter l'assaisonnement de la salade. Son air absorbé le fit sourire. Rosita adorait la bonne chère, et depuis leur enfance, Matt et ses frères avaient toujours fait honneur aux festins qu'elle leur mijotait.

— Tu es satisfaite de ton œuvre ? lui demanda-t-il en lui adressant un sourire chaleureux.

— Bonjour, Matteo ! Je suis contente de te voir ! C'est l' « œuvre » de Hannah. Un mélange très intéressant… Mais je ne vais pas te révéler le secret de sa fabrication.

Matt s'approcha de la cuisinière en riant et la serra dans ses bras.

— Moi aussi, je suis heureux de te voir ! Tout se passe bien ici ?

— L'ambiance est très studieuse ! La salle de billard a été reconvertie en bureau… Tu y trouveras toute la famille : ta grand-mère voulait montrer ce que Nicole a déjà accompli.

— Ça promet d'être intéressant ! s'exclama Matt.

En effet, comment la jeune femme s'y prendrait-elle pour convaincre ses frères et sa grand-mère qu'elle avait fait quoi que ce soit jusqu'à présent ? Rosita, cependant, ne semblait pas avoir relevé le sarcasme qui perçait sous sa remarque et ce fut d'un air sincèrement navré qu'elle enchaîna :

— Nicole travaille trop… Parfois même jusque tard dans la nuit ! C'est comme si elle ne voyait pas le temps passer. Le soir, je lui monte un plateau, pour qu'elle ne reste pas le ventre vide, mais une fois sur deux, elle n'y touche même pas.

— C'est un véritable crime ! railla Matt.

— Tu devrais avoir honte de te moquer de moi ! s'exclama Rosita avec une moue réprobatrice. Comme tu devrais avoir honte de ne pas être venu voir ta grand-mère depuis plus d'un mois.

— J'étais très occupé, mais je vais de ce pas réparer cette négligence.

Tandis qu'il quittait la cuisine, Matt entendit vaguement les récriminations de Rosita à propos de jeunes gens qui étaient toujours pressés, mais il n'y prêta guère attention. Son esprit était bien trop absorbé par ce qu'il venait d'apprendre sur Nicole. D'après la gouvernante, la jeune femme travaillait d'arrache-pied… Et que penser de cette histoire de bureau ? Nicole Redman avait-elle réellement besoin de tant d'espace, ou était-ce seulement un moyen de se donner de l'importance ?

La porte de la salle de billard était grande ouverte et le reste de la famille ne remarqua même pas son arrivée. Rassemblés autour de la table de jeu, dont le couvercle était mis, ils semblaient fixer leur attention sur ce qui s'y trouvait. Un bref coup d'œil circulaire indiqua à Matt que Nicole Redman ne se trouvait pas parmi eux ; aussitôt sa tension se relâcha et ce fut d'un ton léger qu'il salua l'assemblée :

— Bonjour ! Que se passe-t-il donc, ici ?

Une joyeuse cacophonie lui fit écho, d'où il ressortit qu'il devait absolument se rendre compte par lui-même de ce qui provoquait leur enthousiasme. En se rapprochant de la table, il aperçut un assemblage de photos plus ou moins anciennes. Chaque image était accompagnée d'une brève notice biographique et il comprit qu'il s'agissait en fait d'un immense arbre généalogique.

— Nicole et moi avons passé des semaines à trier et sélectionner les photos dans les albums, l'informa Isabella. Et voilà le résultat !

— C'est remarquable ! ne put s'empêcher de s'exclamer Matt.

Mais *nonna* avait sûrement accompli l'essentiel de cette tâche, se retint-il d'ajouter.

— Et regarde ça ! intervint Tony en montrant une large frise couverte de dates sur deux lignes. Tous les événements qui ont marqué notre famille sont restitués dans leur contexte historique.

Cette fois-ci, Matt dut reconnaître que c'était du travail sérieux : la méthode employée dénotait un véritable esprit de synthèse. Etait-il possible qu'il se soit trompé sur le compte de Nicole Redman ? Pourtant, si elle était vraiment capable d'accomplir le travail qu'il avait en ce moment sous les yeux, comment expliquer qu'elle se soit conduite avec un tel amateurisme au cours de sa visite à Kauri King Park ?

Se souvenant qu'il avait apporté des documents pour la jeune femme, il se tourna vers sa grand-mère.

— J'ai d'autres photos, et le plan du parc, dont Nicole m'a demandé de lui faire des copies. Où dois-je les poser ?

— Sur son bureau. Merci, Matteo.

Suivant la direction que sa grand-mère venait de lui indiquer, Matt découvrit qu'on avait installé un grand bureau sous la fenêtre, à l'autre extrémité de la pièce. Au milieu des piles de dossiers, il aperçut un ordinateur portable, ainsi qu'un magnétophone et des cassettes, dont Alex était justement en train de lire les étiquettes.

— Quels sont les goûts musicaux de Mlle Redman ? demanda Matt en déposant son enveloppe à côté de l'ordinateur.

— Ce n'est pas de la musique. Ce sont les enregistrements des entretiens qu'elle a eus avec les familles italiennes de la région. *Nonna* m'a dit qu'elle était partie en réaliser une aujourd'hui.

— Elle ne déjeunera pas avec nous ?

— Non.

Matt se demandait si Nicole n'était pas sortie dans le seul but d'éviter de le rencontrer. A moins qu'elle ne voulût lui prouver à quel point elle s'impliquait dans ce projet ? Assez pour travailler un dimanche, en tout cas.

Matt ne savait plus trop, à présent, s'il devait se réjouir de cette absence. Elle lui éviterait une confrontation pénible, certes, mais s'il s'était trompé sur le compte de Nicole — comme tout semblait l'indiquer — il lui devait des excuses.

— Elle est partie dans le Johnstone Shire, poursuivit Alex ; c'est à deux heures de route et elle ne rentrera pas avant la fin de l'après-midi... Elle a vraiment récolté une quantité incroyable de renseignements.

— Oui, répliqua Matt plus sèchement qu'il ne l'aurait voulu. Mais saura-t-elle en faire un livre ?

Il avait conscience de chercher à tout prix à justifier son attitude à l'égard de la jeune femme. C'était pathétique ! Sa question semblait avoir surpris Alex, qui le dévisagea en fronçant les sourcils.

— Mais enfin, tu sais bien qu'elle..., commença-t-il avant de s'exclamer : c'est vrai ! Tu n'étais pas là quand *nonna* a présenté Nicole à toute la famille. Si elle l'a choisie, c'est notamment à cause de son livre.

— Elle a écrit un livre ? répéta Matt, qui n'en croyait pas ses oreilles.

— Oui. *Le Tambour d'Ollie* ; c'est la biographie de son père, un grand musicien de jazz.

Le mystère entourant Nicole commençait à se dissiper lentement tandis que la signification des paroles de son frère imprégnait son esprit. Les pièces du puzzle s'assemblaient : La Nouvelle-Orléans, le jazz...

Matt avait toujours eu le plus grand respect pour l'opinion de son aîné, aussi voulut-il savoir s'il avait lu l'ouvrage en question.

— Non, avoua celui-ci en lui lançant un regard intrigué. Mais *nonna* l'a lu et elle l'a beaucoup aimé. De plus, je te ferai remarquer que si Nicole n'avait eu aucun talent, elle n'aurait pas été publiée.

Matt se promit de se procurer *Le Tambour d'Ollie* dès que possible, afin de se rendre compte par lui-même du talent de son auteur. Il en était à ce point de ses réflexions quand il se demanda soudain pourquoi il tenait tant à en apprendre davantage sur la jeune femme. N'avait-il pas décidé, avant même de la voir, qu'il était hors de question qu'il s'intéresse à elle sur un plan personnel ?

Mais voilà, le sentiment de s'être montré très injuste envers Nicole pesait sur sa conscience. Il avait beau se répéter que celle-ci n'avait rien fait pour le détromper, pas plus qu'elle n'avait démenti ses accusations, rien n'y faisait.

— Si tu penses que Nicole Redman n'est pas de taille à réaliser ce projet, tu te trompes, renchérit Alex.

— Je n'ai pas dit ça.

— Elle est bardée de diplômes : histoire, généalogie et littérature... Avant de venir ici, elle enseignait à l'université. *Nonna* a eu de la chance d'être parvenue à la convaincre de participer à son projet.

Matt dut se rendre à l'évidence : Nicole Redman était une professionnelle expérimentée. Alex semblait en être convaincu, et il ne pouvait pas accuser son aîné de tramer des projets matrimoniaux...

Si seulement il ne s'était pas montré aussi blessant à son égard ! Elle lui pardonnerait peut-être ses accusations à propos de ses compétences professionnelles, mais qu'en serait-il de son allusion brutale au désir qu'il éprouvait pour elle ?

Nicole avait toutes les raisons de lui en vouloir, et Matt ne souhaitait pas que la situation s'envenime : son sens de l'honneur et de la justice le poussait à lui présenter ses excuses.

Même s'il devait attendre des heures le retour de la jeune femme, il s'expliquerait avec elle aujourd'hui même !

8.

Au moment où elle passait le portail de King's Castle, Nicole vit qu'il était 5 heures à l'horloge du tableau de bord. Tout le monde devait être rentré chez soi, à présent. Elle regrettait un peu de n'avoir pas pu saluer Alex et Tony, ainsi que leurs adorables épouses, Gina et Hannah, mais c'était le prix à payer. Pour rien au monde, en effet, elle ne voulait revoir Matt King.

Songeant qu'elle devrait patienter jusqu'au dîner pour savoir si les soupçons d'Isabella King et de Rosita au sujet de la grossesse de Hannah avaient été confirmés, elle poussa un soupir de résignation. Comme elle aurait été heureuse d'assister à l'annonce de cette merveilleuse nouvelle ! Elle avait cependant préféré y renoncer, sûre que la présence de Matt lui aurait de toute façon gâché son plaisir.

Lorsqu'elle longea le bâtiment, elle vit que l'aire d'atterrissage pour hélicoptères était vide. La Mercedes d'Alex n'était pas non plus garée dans le parking. En revanche, elle eut la surprise d'y trouver une Saab décapotable vert foncé qu'elle ne connaissait pas. Un mauvais pressentiment lui souffla que ce devait être la voiture de Matt.

Après avoir garé son antique Toyota juste à côté, Nicole resta quelques minutes immobile, les mains toujours accrochées au volant. Une boule d'angoisse lui nouait la gorge tandis qu'elle tentait de trouver une échappatoire.

Evidemment, rien ne prouvait que la décapotable appartenait à Matt, mais elle préférait ne pas prendre de risques. En admettant qu'il ait prolongé sa visite pour bavarder en tête à tête avec Isabella, il suffirait à Nicole d'éviter de se rendre dans la pièce où elle aurait le plus de chance de les rencontrer. De ce fait, sa chambre était hors de question, car pour s'y rendre, il fallait passer devant le salon ou la bibliothèque. Il ne lui restait plus qu'à se faufiler dans la salle de billard…

D'un geste rageur, elle tapa du poing sur le volant. C'était absurde ! Puisqu'elle n'avait rien à se reprocher, elle entrerait dans la maison la tête haute ! Déterminée à ne pas se laisser intimider par la présence de Matt King, elle descendit de voiture et se dirigea vers l'entrée de service.

Malgré sa résolution, elle fut soulagée de constater que Rosita était seule dans la vaste cuisine.

— Enfin ! Vous voilà de retour ! s'exclama celle-ci en la couvant d'un regard maternel.

— Oui, j'étais impatiente de savoir si Hannah attendait bien un bébé.

— Elle est enceinte de deux mois !

Rosita rayonnait littéralement en lui annonçant la nouvelle.

— C'est merveilleux !

— Et Matteo est encore là, poursuivit la gouvernante. Il est avec sa grand-mère dans la loggia. Si vous voulez les rejoindre, j'apporterai les boissons dans quelques instants.

— Ils veulent peut-être rester seuls, répondit Nicole précipitamment. De plus, je dois retranscrire mes notes sur l'ordinateur pendant que l'entretien est encore tout frais dans ma mémoire.

Son esquive lui valut un regard désapprobateur, mais avant que Rosita ait eu le temps de commencer son habituelle litanie concernant les jeunes filles modernes — qui ne pensaient qu'à leur carrière, au lieu de se chercher un mari qui pourrait s'occuper d'elles — Nicole avait déjà disparu.

La gouvernante allait au-devant d'une grande déception si elle s'imaginait, comme Nicole l'en soupçonnait, que Matt King était cet homme idéal pour elle. La seule pensée de se retrouver dans la même pièce que lui la hérissait !

Comme s'il s'agissait d'une barrière infranchissable, elle referma soigneusement la porte de la salle de billard derrière elle ; maintenant, elle se sentait à l'abri des insinuations infamantes de Matt.

Il avait dû profiter de cette réunion de famille pour vérifier ses références, et à présent, il devait se mordre les doigts de l'avoir injustement accusée d'imposture. Nicole n'alla tout de même pas jusqu'à espérer que la culpabilité le rongeait. Il était bien trop arrogant ! Pourtant, hormis ce qui concernait l'attirance sensuelle qui existait entre eux, il s'était trompé sur toute la ligne.

Pour calmer la colère qui bouillonnait dans ses veines, elle prit une profonde inspiration. Au souvenir des nuits d'insomnie qu'elle venait de passer, cependant, une nouvelle vague de rage la submergea. Elle avait conscience que Matt King ne valait pas la peine qu'on perde le sommeil pour lui, mais elle avait beau se traiter d'idiote, elle ne pouvait nier que cet homme l'obsédait.

Heureusement, son travail l'accaparait suffisamment tout au long de la journée pour lui permettre de penser à autre chose, songea-t-elle en allumant son ordinateur. A cet instant, elle remarqua le logo de Kauri King Park ornant une grande enveloppe qui dépassait d'un sac posé près de la pile de dossiers. Comprenant immédiatement qu'il s'agissait des documents que Matt avait promis de lui apporter, elle ne put retenir un mouvement de recul.

Elle ressentait la présence de ce sac comme la preuve d'une violation de sa vie privée, et l'idée que Matt King était entré dans son bureau lui parut insupportable. Parcourant la vaste pièce du regard à la recherche d'indices trahissant le passage de l'intrus, elle dut admettre que rien n'avait été touché. Décidément, elle perdait la tête ! Après tout, Matt n'avait peut-être même pas déposé le paquet personnellement. Elle avait pourtant l'impression que sa présence imprégnait chaque meuble...

Son attention fut de nouveau attirée par le paquet sur son bureau. Elle avait beau se répéter que son contenu était inoffensif, elle ne pouvait s'empêcher de penser que celui qui l'avait déposé là l'avait profondément blessée dans son amour-propre. Mais elle ne se laisserait pas abattre ! se reprit-elle dans un sursaut de fierté. Elle allait utiliser ces photos et ces plans pour son ouvrage, et quand celui-ci serait publié, Matt King serait obligé de reconnaître qu'elle n'était pas une mythomane.

La perspective de son futur triomphe ne parvint toutefois pas à diminuer son sentiment d'humiliation. Elle en était encore à ressasser de sombres pensées, quand un coup frappé à la porte l'arracha à ses réflexions.

« Mon Dieu, faites que ce ne soit pas lui », pria-t-elle, alors qu'un frisson d'appréhension la parcourait de la tête aux pieds. Elle entendit la porte s'ouvrir, et une voix grave vint balayer ses derniers espoirs :

— Nicole ? Puis-je entrer ?

Les bonnes manières qu'affectait son visiteur l'horripilèrent. Pourquoi posait-il cette question, puisqu'il n'en ferait de toute façon qu'à sa tête ? Elle aurait voulu avoir le courage de lui tourner le dos, mais elle savait que cela ne servirait à rien : il ne s'en irait pas avant d'avoir obtenu ce qu'il voulait. De plus, il pourrait s'imaginer qu'il la troublait ! Déjà, elle se sentait prise au piège de l'incroyable énergie qui émanait de lui. Résolue cependant à garder son sang-froid et à faire preuve de courtoisie, elle se redressa et, le cœur battant, fit volte-face pour affronter Matt.

— Que voulez-vous ? demanda-t-elle d'un ton glacial.

Estimant que la meilleure défense était l'attaque, elle jugeait inutile de feindre des relations cordiales. Son agressivité ne fit toutefois pas reculer Matt, qui se contenta d'entrer dans la pièce, avant de refermer la porte derrière lui.

Refusant de se laisser impressionner par l'expression farouchement déterminée qu'elle lut sur son visage, Nicole le toisa de la tête aux pieds. Toutefois, si elle avait secrètement espéré se prouver qu'il lui était désormais indifférent, elle dut rapidement déchanter.

Comment pouvait-elle ignorer la puissance virile qui irradiait de ce corps athlétique, alors que la présence si proche de celui-ci éveillait chaque parcelle de féminité en elle ?

— Je voulais vous présenter mes excuses.

Son pouls battait si fort contre ses tempes que Nicole n'était pas sûre d'avoir réellement entendu ces paroles prononcées d'une voix grave et posée. Lorsque son visiteur leva les mains dans un geste d'apaisement, elle comprit toutefois qu'elle n'avait pas rêvé. Suspendue à ses lèvres, elle attendait qu'il précise sa pensée.

— Je suis désolé de vous avoir accusée d'être une menteuse, poursuivit-il. Le souvenir que vous m'aviez laissé a faussé mon jugement.

Le sang de Nicole ne fit qu'un tour. C'était ce qu'il appelait des excuses ? Elle n'en revenait pas qu'il ose justifier ainsi son attitude inqualifiable. Bientôt, ç'allait être sa faute s'il s'était trompé !

— Quel souvenir ? répliqua-t-elle. Vous m'avez entr'aperçue un soir, il y a dix ans, et vous en avez déduit que j'utilisais mes charmes pour abuser de la naïveté des gens. A vos yeux, je ne valais guère mieux qu'une prostituée !

— Je n'ai jamais dit ça, protesta Matt.

— Mais vous l'avez pensé. Sinon, jamais vous ne vous seriez permis ces gestes déplacés à mon égard...

Au souvenir de ces caresses à peine ébauchées, Nicole sentit une vague de chaleur colorer son cou et ses joues. Elle regrettait à présent d'avoir laissé la discussion l'entraîner sur ce terrain dangereux.

— Si mon comportement a pu vous embarrasser, j'en suis désolé.

— Je n'en crois pas un mot. Vous saviez très bien ce que vous faisiez ! Vous avez pris un malin plaisir à me mettre mal à l'aise. Qu'est-ce qui vous a pris, par exemple, de remettre vous-même mon chapeau sur ma tête ?

— Je ne sais pas, j'ai agi sous le coup d'une impulsion.

— Vous allez peut-être prétendre que mon attitude vous y avait encouragé ?

— Non, admit-il. Mais le fait que vous soyez extrêmement séduisante y était sans doute pour quelque chose.

Il avait le toupet de prendre tout ça à la légère ! s'indigna Nicole. Mais elle ne le laisserait pas s'en tirer par une pirouette !

— Si vous aviez éprouvé un tant soit peu de respect pour moi, vous ne vous seriez pas conduit de la sorte, répliqua-t-elle.

Matt poussa un soupir et elle devina qu'il avait du mal à contenir son impatience. Apparemment, tout ne se passait pas comme il l'avait prévu et elle se réjouissait secrètement d'avoir contrecarré ses plans.

— Je vous en prie, Nicole ! s'exclama-t-il. Vous n'allez pas m'en vouloir éternellement, juste parce que j'ai remis un chapeau sur votre tête et effleuré votre joue. D'autant que sur le moment, je ne crois pas avoir entendu vos protestations.

Furieuse qu'il tente de minimiser les griefs qu'elle avait contre lui, Nicole se leva brusquement et fit quelques pas pour s'éloigner. Quand elle fut près de la table de billard, elle déclara :

— Puisqu'il faut mettre les points sur les i… Je vous informe que je ne veux plus que vous vous approchiez de moi.

— Entendu ! répliqua Matt en s'immobilisant aussitôt. Et laissez-moi vous féliciter pour la performance : vous êtes l'incarnation même de la vertu outragée !

— C'est ainsi que vous concevez des excuses ?

— Est-ce ma faute si vous n'avez pas voulu les accepter ?

— Que valent vos excuses, puisque vous continuez à penser que vous n'avez rien à vous reprocher ?

— Je vous ai peut-être mal jugée, mais vous avez largement contribué à forger mon opinion. Votre comportement insolite lors de la visite du parc avait de quoi faire douter de vos compétences, avouez-le.

— Mon comportement n'avait rien à voir là-dedans. Vous ne pouviez pas admettre que j'étais un écrivain, tout simplement. Parce que vous gardiez en mémoire un souvenir fugace, vieux de dix ans…

Nicole s'interrompit, tandis qu'un sentiment de mélancolie familier l'envahissait à l'évocation de cette époque.

— A propos, que faisiez-vous à La Nouvelle-Orléans ? voulut-elle savoir.

— Avec une bande d'amis, j'avais entrepris de faire le tour du monde avant de reprendre les rênes de Kauri King Park.

Nicole imaginait très bien le jeune homme insouciant qu'il avait dû être, et le contraste avec sa propre jeunesse ne lui en sembla que plus flagrant. Sa gorge se noua tandis qu'elle se rappelait le poids de ses responsabilités, cette année-là.

— Moi, je m'occupais justement d'affaires de famille. Mon père avait un cancer, et il désirait revoir La Nouvelle-Orléans avant de mourir. Pour lui, qui était musicien de jazz, cette ville était comme une seconde patrie.

» Nous avions dépensé tout notre argent pour le voyage, mais une fois là-bas, j'ai trouvé cet emploi de guide, qui nous a permis de vivre. Tous les soirs, mon père se rendait à Preservation Hall, qui était situé en face du Reverend Zombie's Voodoo Shop, d'où partaient les « visites hantées ». Le Preservation Hall est un lieu mythique pour les jazzmen, c'est l'endroit… »

— Je sais, l'interrompit Matt. J'y suis allé, un soir.

Curieusement, la pensée que Matt avait pu, sans le savoir, rencontrer son père émut Nicole. Une boule se forma dans sa gorge et elle dut déglutir pour parvenir à sortir un son de sa bouche :

— Certains soirs, si son état de santé le lui permettait, mon père jouait de la batterie, continua-t-elle d'une voix voilée par l'émotion.

— *Le Tambour d'Ollie*, murmura Matt, comme pour lui-même.

— Vous l'avez entendu jouer ?

— Non.

— C'était un très grand batteur, déclara-t-elle fièrement. Unanimement admiré par ses pairs.

— Il est mort à La Nouvelle-Orléans ?

Des larmes commençaient à lui picoter les yeux, et elle ne put qu'acquiescer d'un mouvement de tête. Des souvenirs doux amers se bousculaient dans son esprit : la foule suivant le corbillard dans Bourbon Street, le cortège des *jazz bands* qui jouaient…

— Je suis désolé, Nicole.

La voix grave de Matt était empreinte de sincérité, mais à présent tout ça n'avait plus tellement d'importance à ses yeux. Elle aspirait à se retrouver seule, et elle ne voulait surtout pas qu'il la voie pleurer.

— Je vous en prie… partez, articula-t-elle péniblement.

— Je veux que vous sachiez que je vous respecte énormément, déclara-t-il après un long moment d'hésitation.

Enfin, il quitta la pièce. Les sanglots contenus lui brûlant la poitrine, Nicole se dirigea vers son bureau avec la raideur d'un automate. Quand elle s'effondra dans son fauteuil, ses larmes l'aveuglaient. Cela faisait dix ans que son père était mort, et elle avait l'impression que c'était hier. Jamais pourtant, elle n'avait ressenti comme aujourd'hui à quel point elle était seule au monde.

9.

Assise à son bureau, dans la bibliothèque, Isabella King regardait sans le voir l'agenda ouvert devant elle. Ses pensées la ramenaient inlassablement vers la salle de billard, où se trouvaient en ce moment Nicole et Matteo.

De toute évidence, il se passait quelque chose entre ces deux-là, mais Isabella n'était pas sûre qu'il faille s'en réjouir. Les ondes qu'elle avait perçues lui semblaient plutôt négatives, surtout en ce qui concernait Nicole.

En effet, chaque fois que le nom de Matt était prononcé devant elle, celle-ci se raidissait imperceptiblement. Et ce phénomène n'avait fait qu'empirer depuis qu'elle était revenue de sa visite à Kauri King Park.

Quand Isabella lui avait demandé d'assister au repas de famille d'aujourd'hui, la jeune femme avait prétexté un entretien important pour refuser son offre. Or, Isabella savait parfaitement qu'elle aurait pu reporter ce rendez-vous sans problème. Il était donc évident à ses yeux que Nicole voulait à tout prix éviter de voir Matteo.

Ce dernier, en revanche, semblait tout aussi déterminé à rencontrer Nicole que celle-ci l'était à l'éviter. Il n'avait pas fait part de ses intentions à Isabella, mais il était clair que s'il était resté au château après le départ des autres, c'était pour attendre la jeune femme. Aussitôt que Rosita leur avait annoncé le retour de celle-ci, il avait été sur des charbons ardents.

Seule la passion pouvait insuffler une telle détermination — d'un côté comme de l'autre, songea Isabella. L'indifférence ne provoquait pas des comportements aussi excessifs. Il ne restait donc plus qu'à prier pour que cette énergie se transforme en quelque chose de positif, puisqu'elle-même ne pouvait influer sur le cours des événements.

Cette inaction forcée la mettait au supplice. Si seulement elle savait ce qui avait causé la tension qui régnait entre les deux jeunes gens ! Mais ni l'un ni l'autre ne s'étaient confiés à elle. En son for intérieur, elle soupçonnait que seule leur fierté les empêchait de s'avouer leur attirance mutuelle.

Repensant à la journée qui venait de s'écouler, elle se souvint combien Matteo s'était montré distrait. Certes, l'annonce de la grossesse de Hannah l'avait sincèrement réjoui, mais durant le reste de l'après-midi, la bonne humeur du benjamin de ses petits-fils lui avait semblé forcée. Il n'avait décidément plus rien du boute-en-train qui égayait habituellement les réunions familiales. Elle en avait tout naturellement conclu qu'il ruminait de sombres pensées à propos de Nicole.

Et que dire de la conversation du jeune homme, quand ils s'étaient retrouvés en tête à tête après le départ du reste de la famille, sinon qu'elle avait été émaillée de longs silences ? La soudaine fébrilité qui s'était emparée de lui quand Rosita les avait prévenus de l'arrivée de Nicole n'en avait été que plus frappante. Il n'avait pas attendu bien longtemps avant de l'abandonner !

— Avant de partir, je vais voir si Mlle Redman est satisfaite des documents que je lui ai apportés.

Pur prétexte ! s'était dit Isabella. En effet, il aurait pu aussi bien s'en assurer par téléphone. A moins, bien sûr, qu'il ne puisse résister à l'envie de la voir en chair et en os…

Revigorée par cette idée, Isabella commençait à reprendre espoir quand Matteo parut à la porte.

— J'y vais, *nonna*. Merci pour le repas. Tu dois être aux anges, pour le bébé.

Décidément, cette succession de remarques sans queue ni tête, ce sourire plaqué sur ses lèvres et qui ne se communiquait pas à ses yeux..., ce n'était pas le Matteo qu'elle connaissait ! songea Isabella, perplexe. Elle s'étonna aussi de la démarche raide du jeune homme quand il traversa la pièce pour venir déposer un baiser sur sa joue.

— Oui, répondit-elle. Et je suis surtout heureuse pour Antonio et Hannah.

Comment ne pas se réjouir, en effet, du bonheur du jeune couple ? Elle se retint cependant d'ajouter qu'elle aurait également aimé savoir ce qui ferait son bonheur à lui.

Rien qu'à la façon impersonnelle dont Matteo l'avait embrassée, Isabella devinait que son entrevue avec Nicole ne s'était pas passée comme il l'aurait voulu. Elle devait absolument le retenir un peu pour tenter d'en apprendre davantage.

— J'étais en train de vérifier mon agenda, déclara-t-elle sans tenir compte de la mine maussade de son petit-fils. J'espère que tu n'as pas oublié la première de Gina, au Galaxy Theatre ?

Matteo n'avait visiblement pas oublié que sa belle-sœur devait interpréter le rôle de Maria dans *West Side Story*, mais demanda :

— Quelle en est la date, déjà ?

— Jeudi en quinze. J'ai réservé six places dans l'avion de l'après-midi pour Brisbane.

— Six places ? s'étonna Matteo. Je pensais qu'Alex et Gina seraient là-bas quelques jours avant.

— Naturellement. En fait, Alessandro et les enfants seront à Brisbane toute la semaine précédant la première. Il ne veut pas que Gina se fasse du souci pour eux au lieu de se concentrer sur les répétitions.

— Puisque Alex et Gina seront déjà sur place, qui sera dans l'avion avec nous ? Tony, Hannah, toi et moi…

— Rosita et Nicole.

Cette nouvelle fut suivie d'un long silence. Quand Matteo se décida finalement à parler, sa voix ne trahissait aucune émotion.

— Nicole vient avec nous ? demanda-t-il.

« Tiens, il n'y a plus de Mlle Redman, maintenant ! » nota Isabella avec une pointe de satisfaction.

— Oui. Elle avait très envie d'entendre Gina chanter. Surtout dans une production de Peter Owen. A propos, savais-tu qu'il est venu nous rendre visite, la semaine dernière ? C'est vraiment un homme charmant ! Il a même proposé à Nicole une invitation pour la soirée qu'il donne après la première.

« De mieux en mieux », songea Isabella quand elle vit que la mâchoire de Matteo s'était crispée à la mention du pianiste. Ce dernier avait une réputation de séducteur invétéré. Elle se souvenait encore comme le partenaire de Gina avait éveillé la jalousie d'Alessandro.

Peut-être que la concurrence d'un pareil don Juan obligerait Matteo à se demander ce qu'il éprouvait réellement pour Nicole ?

— J'ai aussi réservé l'hôtel, continua-t-elle. Ça te convient, ou avais-tu d'autres projets ?

Une expression renfrognée sur le visage, Matteo ne disait rien et Isabella dut insister :

— Tu ne peux pas manquer la première, Matteo !

— Non, évidemment, répondit-il enfin.

— Quel est le problème, alors ? Tu sembles distrait.

— Je suis désolé. Tes arrangements me conviennent parfaitement. Je suppose que le smoking est de rigueur ?

— Oui. Tu connais Peter !

Matteo acquiesça, avant de lui demander d'envoyer l'emploi du temps du jour J par fax à son bureau.

— Tu peux compter sur moi, je serai fidèle au poste, ajouta-t-il.

Le large sourire qu'il lui adressa avant de s'en aller ne trompa pas Isabella : Matteo n'était pas heureux. Elle ne se laissa cependant pas démoraliser par ce constat. En effet, ne venait-elle pas de mettre en place le décor pour une prochaine rencontre entre Nicole et lui ? Elle avait en outre éveillé l'instinct possessif du jeune homme en lui parlant de Peter Owen.

Un sourire éclaira le visage d'Isabella : rien de tel que quelques heures passées ensemble pour abattre les barrières et provoquer un rapprochement… Il ne restait donc plus qu'à espérer qu'aucun des deux protagonistes ne se désiste au dernier moment.

10.

N'ayant pas de bagages à enregistrer, Matt arriva à l'aéroport de Cairns vingt minutes avant le décollage. Son smoking était rangé dans une housse et le reste de ses affaires tenait dans un petit sac de voyage.

Tony l'attendait dans le hall des départs pour lui remettre sa carte d'embarquement.

— Les dames ont déjà passé le contrôle, l'informa-t-il.

— Je suppose que je serai assis à côté de Nicole Redman ?

Il avait prononcé cette question sur un ton dégagé, du moins l'espérait-il.

— Non. Nicole a pris l'avion ce matin ; elle voulait profiter de son séjour à Brisbane pour compulser des archives de journaux.

Matt sentit une colère sourde l'envahir. La jeune femme avait de nouveau prétexté des obligations professionnelles pour l'éviter. Cette attitude, qui pouvait certes s'expliquer la première fois, en raison des accusations qu'il avait portées à son encontre, était parfaitement injustifiée à présent. Au prix d'un effort considérable, il parvint toutefois à contenir son exaspération pour demander calmement :

— Qu'espère-t-elle trouver d'intéressant ?

— Tu sais sans doute que c'est à Brisbane que le mari de *nonna* et son frère ont embarqué pour partir à la guerre. Nicole voulait chercher dans les journaux de l'époque des renseignements sur l'ambiance qui régnait dans la ville à ce moment-là.

Ça tombait sous le sens : pourquoi, en effet, la jeune femme ne profiterait-elle pas de son séjour à Brisbane pour faire avancer ses recherches ? En faisant ainsi d'une pierre deux coups, elle épargnait à son employeuse la dépense supplémentaire d'un deuxième voyage en avion. Tout ceci tenait debout, mais Matt n'en était pas moins convaincu que la motivation principale de Nicole était de l'éviter, lui, autant que possible. Elle n'avait apparemment toujours pas enterré la hache de guerre.

— Il faut reconnaître que Nicole est vraiment consciencieuse, poursuivit son frère. En attendant, tu vas devoir supporter ta propre compagnie pendant deux heures !

— Je survivrai, grommela Matt en passant sous le portique de sécurité.

Voyant qu'il parcourait la salle d'embarquement du regard, Tony lui désigna l'endroit où se trouvait le reste de la famille, avant d'ajouter avec un sourire malicieux :

— Tu dois avoir perdu la main, Matt. Sinon pourquoi une jolie fille préférerait-elle s'enfermer dans une bibliothèque plutôt que de faire plus ample connaissance avec toi ?

— Je ne suis peut-être pas son type, répondit-il en haussant les épaules.

— Et c'est réciproque ?

— Fiche-moi la paix, Tony ! Je sais que tu es très heureux en ménage, mais tu ne dois pas pour autant te sentir obligé de me caser.

Surtout pas avec cette maudite rouquine, certes sublime, mais têtue comme une mule ! se retint-il d'ajouter. Le simple fait de penser à Nicole lui mettait les nerfs en pelote. Qu'attendait-elle de lui, au juste ? N'avait-il pas présenté ses excuses en bonne et due forme ? Apparemment, elle était rancunière, et ça ne lui suffisait pas. Dire qu'il avait lu son livre, comme s'il espérait y découvrir la personnalité secrète de son auteur ! Et il avait compté sur ce voyage pour faire la paix avec elle... Tout ça pour s'apercevoir finalement qu'elle n'acceptait même pas de lui accorder une seconde chance.

A l'instant où Tony et lui rejoignirent leur grand-mère, ainsi que Hannah et Rosita, une voix au micro annonçait l'embarquement de leur vol. Matt n'eut donc que le temps de les saluer brièvement avant que tous se dirigent vers l'avion. Aussitôt qu'il fut installé dans son siège, près du hublot, il saisit le journal que l'hôtesse lui tendait, et fit mine de se plonger dans sa lecture.

Durant le décollage, il parcourut quelques pages sans que le sens des mots pénètre son esprit. Il avait incroyablement conscience, en revanche de la place vide à côté de lui, qui semblait le narguer en lui rappelant l'absence de Nicole. Il ne comprenait pas pourquoi l'attitude de la jeune femme le mettait dans en tel état. Que lui importait ses caprices, après tout ? Elle avait décidé de l'éviter comme la peste lors de leur séjour à Brisbane ? Grand bien lui fasse !

Mais Nicole pouvait feindre l'indifférence tant qu'elle voulait, Matt savait que sur un point, il ne s'était pas trompé : elle était sexuellement attirée par lui.

Il était convaincu qu'elle n'aurait pas protesté s'il l'avait embrassée chez lui, sur la terrasse. D'ailleurs, avait-elle esquissé le moindre geste de recul quand il avait effleuré ses cheveux ? Non. Certes, l'autre jour, elle s'était réfugiée derrière la table de billard pour lui assener avec virulence qu'elle ne voulait plus qu'il s'approche d'elle... Mais Matt n'était pas aveugle : les yeux et le corps de Nicole démentaient les affirmations que proférait sa bouche.

Elle lui reprochait d'avoir eu des gestes déplacés... Croyait-elle qu'un autre que lui aurait résisté aussi longtemps à son incroyable sensualité ? Ce don Juan de Peter Owen, par exemple, n'aurait pas hésité une seconde à profiter de l'atmosphère érotique qui les enveloppait quand ils avaient dégusté le plateau de fruits. Considérant la puissance du désir qu'elle avait éveillé en lui, Matt estimait qu'il s'était comporté comme un saint. Et qu'avait-il reçu en récompense ? Des mensonges et des insultes.

Lors de la visite du parc, Nicole avait eu le toupet de prétendre que par sa faute, elle ne parvenait pas à se concentrer sur son travail. Mais il ne se laisserait pas attribuer l'entière responsabilité de la tension troublante qui régnait entre eux ! Si elle nourrissait des fantasmes à son sujet, il n'y était pour rien.

Une intuition, qui éclairait d'un jour nouveau le comportement incohérent de la jeune femme, vint brusquement interrompre le cours de ses pensées : en réalité, Nicole détestait l'attirance qu'elle ressentait pour lui !

Matt le comprenait d'autant mieux que lui non plus n'aimait pas cette force irrésistible qui le poussait vers elle... Mais au moins, il ne cherchait pas à la nier !

Cette évidence alimenta ses réflexions jusqu'à l'arrivée à Brisbane. Et quand il pénétra dans sa chambre d'hôtel, il était parvenu à la conclusion qu'au fond, Nicole ne lui reprochait rien d'autre que sa franchise. Elle n'avait probablement pas apprécié qu'il envisage l'éventualité de coucher avec elle... et qu'il le lui dise.

C'est pourquoi elle le traitait avec froideur et refusait de reconnaître qu'il lui avait proposé son aide, alors même qu'il la soupçonnait des pires turpitudes. Et lorsqu'il s'était rendu compte de sa méprise, il avait tenu aussitôt à s'excuser auprès d'elle. Il pouvait donc affirmer que de son côté, il avait tout fait pour que leur relation reparte sur de bonnes bases.

Il n'allait pas laisser la situation s'enliser davantage ! décida-t-il soudain. Mieux valait tirer les choses au clair avec elle avant que la vie à King's Castle ne devienne intenable. D'un geste résolu, il décrocha le téléphone et s'enquit du numéro de la chambre de Nicole auprès de la réception. Puis il vérifia l'heure à sa montre : 5 h 30. *Nonna* leur avait donné rendez-vous dans le hall de l'hôtel à 7 h 15. Il avait donc largement le temps d'avoir une discussion sérieuse avec Nicole.

Les archives devaient être fermées à présent, se dit Matt. Et sachant que les femmes avaient toujours besoin d'énormément de temps pour se préparer avant une soirée, il était sûr de trouver Nicole dans sa chambre à cette heure-ci. Il jugea cependant préférable de ne pas l'avertir de son arrivée. En effet, connaissant sa disposition d'esprit, il redoutait qu'elle lui raccroche au nez. Avec la ferme intention de ne pas se laisser culpabiliser, ni éconduire, Matt quitta sa chambre pour se diriger vers celle de la jeune femme.

« Rien de tel qu'un bon bain moussant pour chasser le stress », songea Nicole en se plongeant dans l'eau délicieusement chaude. La perspective de passer la soirée en compagnie de Matt King lui avait mis les nerfs en boule, mais elle avait fini par en prendre son parti, sachant qu'elle ne pourrait pas y échapper de toute façon. Elle n'aurait qu'à garder ses distances, et tout se passerait bien.

Paradoxalement, si elle ne voulait à aucun prix côtoyer Matt, ce dernier n'en occupait pas moins ses pensées. Si seulement il n'était pas si séduisant ! Et il devait l'être bien davantage, en smoking.

Décidément, elle n'aimait pas la faiblesse qui s'emparait d'elle chaque fois qu'elle pensait au corps athlétique du benjamin des frères King. Pas plus qu'elle n'aimait l'impulsion qui l'avait poussée à acheter une robe de soirée dont elle n'avait absolument pas besoin.

Qu'est-ce qui lui avait pris de s'enticher de cette tenue extravagante aperçue dans la vitrine du magasin ? En fait, à la seconde où elle l'avait vue, elle avait pensé : « Je vais lui montrer ! »

« Lui montrer quoi ? » se demandait-elle à présent. Espérait-elle qu'en la voyant ainsi vêtue, Matt la désirerait aussi ardemment qu'elle-même ? Elle dut s'avouer qu'elle avait secrètement joué avec l'idée de le séduire pour le laisser ensuite tomber sans ménagement — il n'était évidemment pas question de coucher avec lui. Ce serait une façon de lui rendre la monnaie de sa pièce pour les insinuations humiliantes dont il l'avait accablée.

Certes, il lui avait présenté des excuses, admit-elle. Mais celles-ci étaient venues trop tard, car la semaine qu'elle avait passée par sa faute avait été parmi les pires de toute son existence.

Progressivement, pourtant, sa fureur diminua — peut-être que l'effet apaisant du bain se faisait enfin sentir ? — et elle se rendit compte que les plans qu'elle échafaudait pour se venger de Matt n'étaient qu'une façon détournée de penser à lui. Ces velléités de revanche lui parurent soudain vaines et elle envisagea de rapporter la robe au magasin.

Perdue dans ses réflexions, elle entendit à peine le coup frappé à sa porte. Pensant qu'il s'agissait de Hannah King, Nicole sortit de la baignoire. Hannah était une fervente admiratrice de Gina ; les deux belles-sœurs étaient très proches, et à l'approche de l'heure fatidique où Gina monterait sur scène, Hannah devait ressentir elle aussi le trac. Nicole supposa qu'elle venait faire un brin de causette pour se détendre.

Ne voulant pas la faire attendre trop longtemps, elle se sécha rapidement avant d'enfiler un peignoir. Elle traversait la chambre, quand un nouveau coup, plus fort que le premier, retentit. Sans prendre la peine de demander qui était là, Nicole ouvrit la porte et… se figea lorsqu'elle se retrouva nez à nez avec Matt King.

A cette faible distance, il lui sembla encore plus grand que dans ses souvenirs, et elle fut subjuguée par son charisme viril. Le regard dont il la couvait lui fit subitement prendre conscience de sa nudité sous le peignoir.

— Il faut que nous parlions, déclara-t-il.

Puis, sans attendre d'y être invité, il pénétra dans la chambre. Nicole n'eut même pas la présence d'esprit de lui ordonner de sortir ; elle recula précipitamment de quelques pas, et le regarda fermer la porte derrière lui sans broncher.

Elle réalisa qu'elle n'était absolument pas prête pour cette confrontation. Dans un geste défensif, elle resserra les pans de son peignoir avant de répliquer d'une voix légèrement saccadée :

— Nous n'avons rien à nous dire.

Le regard de Matt restait fixé sur ses lèvres et elle se demanda si celles-ci avaient tremblé sans qu'elle s'en aperçoive. Elle se sentait si vulnérable, dans cette tenue ! Quand il baissa les yeux pour s'arrêter sur son décolleté, elle se rendit compte que des gouttelettes d'eau perlaient encore sur sa peau. Il remarqua sans doute ses mains crispées sur le col resserré. En fait, elle avait le sentiment que rien n'échappait au regard perçant de Matt. Quand il posa son regard sur sa chevelure rassemblée en chignon lâche sur le sommet de sa tête, elle nota qu'une lueur illumina les prunelles sombres.

— Vous ne voulez pas parler ? reprit-il d'une voix sensuelle. Peut-être parce que vous avez autre chose en tête ?

— Je ne vois pas ce que vous voulez dire, murmura-t-elle dans un souffle.

Matt s'était imperceptiblement rapproché d'elle et Nicole sentit une vague de panique mêlée d'excitation l'envahir.

— Menteuse...

Une moue ironique se dessina sur les traits de son visiteur tandis qu'il prenait son visage entre ses mains, l'obligeant à le regarder dans les yeux. Du bout des doigts, il caressa le contour délicat de sa mâchoire.

— Vous savez parfaitement ce que je veux dire, Nicole Redman, poursuivit-il. Mais je serais curieux de voir combien de temps vous continuerez encore à prétendre le contraire.

A voir le regard brûlant de Matt toujours posé sur elle, Nicole comprit soudain qu'il s'apprêtait à l'embrasser. Il se pencha vers elle, et la main qui effleurait avec une douceur ensorcelante sa joue glissa doucement sous son menton pour lui faire lever la tête. Lorsqu'il posa les lèvres sur les siennes, Nicole fut parcourue d'un long frisson langoureux, et elle dut se rendre à l'évidence : elle avait inconsciemment attendu cet instant dès leur première rencontre. Entrouvrant les lèvres, elle répondit avec ardeur au baiser de son compagnon.

Ce n'était pas un premier baiser timide. Au contraire. Pourtant sa fougue n'effraya pas Nicole. Elle avait l'impression que toute la passion accumulée en elle ces derniers jours, presque à son insu, explosait dans un tourbillon de sensations dont la puissance l'enivrait.

En proie à un délicieux vertige, elle sentit que Matt enlevait les épingles qui retenaient son chignon ; quand ses cheveux tombèrent en cascade sur ses épaules, il plongea avec délectation les doigts dans ce rideau soyeux. Puis, d'une légère pression au creux de ses reins, il l'attira davantage contre lui.

La perception bien physique du désir de son compagnon acheva d'enflammer Nicole. Une passion dévorante s'empara d'elle, abattant les derniers vestiges de sa pudeur. Elle voulut goûter la perfection de ce corps qui l'avait tant troublée. Spontanément, ses mains se posèrent sur les larges épaules puis, remontant vers sa nuque, elle glissa voluptueusement ses doigts dans ses boucles brunes. Les seins pressés contre son torse viril, elle sentait les palpitations erratiques de leurs cœurs battant à l'unisson.

Sans qu'elle s'en rende compte, Matt avait défait la ceinture de son peignoir. Mais lorsque celle-ci glissa à terre, et que les pans du vêtement s'écartèrent, il interrompit leur baiser passionné pour darder sur elle un regard intense qui semblait signifier : « Si vous voulez que je m'arrête, dites-le-moi maintenant ! »

Le souffle court et les lèvres encore brûlantes, Nicole le dévisagea quelques instants en silence. Bien sûr qu'elle voulait qu'il continue ! Elle voulait qu'il prenne possession de son corps comme il l'avait fait de sa bouche. Les bourgeons de ses seins se durcissaient dans l'attente de caresses plus audacieuses, et elle mourait d'envie de se livrer à la joute sensuelle que lui promettaient les yeux fiévreux plongés dans les siens. Trop émue cependant pour parler, elle se contenta d'ôter ses mains des épaules de son compagnon et de les laisser retomber le long de son corps. Ce dernier comprit la signification de ce geste en apparence anodin. Mais comprenait-il qu'elle ne se soumettait pas pour autant à sa volonté ? Et qu'en lui cédant, elle satisfaisait avant tout son propre désir ?

Matt repoussa d'un geste le peignoir qui tomba à ses pieds, sans toutefois baisser les yeux pour découvrir sa nudité.

— A votre tour, murmura-t-il d'une voix rauque. Montrez-moi que vous me désirez !

Les yeux toujours rivés aux siens, il prit les mains de Nicole pour les poser contre les premiers boutons de sa chemise, l'invitant à le déshabiller. Il lui laissait l'initiative, songea-t-elle. Mais la lueur qu'elle vit briller dans le regard sombre lui fit comprendre qu'il ne s'agissait pas que d'un jeu érotique : il craignait encore qu'elle change d'avis ! Et la pensée qu'il ne cherchait pas à lui imposer son désir — malgré sa supériorité physique et la fièvre qui le consumait — la bouleversa totalement.

Les mains légèrement tremblantes à la pensée qu'elle allait enfin contempler Matt dans la splendeur de sa nudité, Nicole commença à défaire les boutons de sa chemise. Peut-être allait-elle découvrir le secret de ce charme irrésistible qui lui faisait perdre la tête ? Lorsqu'elle glissa les mains sous l'étoffe, le jeu des muscles puissants contre sa paume la grisa autant que la douceur de la peau hâlée. Elle ne résista pas à plonger les doigts dans la toison sombre qui recouvrait son torse splendide, avant de descendre vers son ventre plat. Elle s'apprêtait à défaire la ceinture de son pantalon quand Matt laissa échapper un gémissement de plaisir. Apparemment incapable de supporter un instant de plus la torture qu'elle lui infligeait, il s'empressa d'ôter lui-même le reste de ses vêtements.

Quand ses yeux se posèrent sur son sexe gonflé de désir, Nicole sentit un frémissement d'impatience parcourir tout son corps. Un désir puissant et primitif coulait dans ses veines, et quand Matt la souleva dans ses bras pour la déposer sur le lit, son cœur s'emplit d'allégresse.

Une lueur de triomphe brillait dans les yeux noirs de son compagnon quand il se pencha sur elle. Etait-ce la perspective de la posséder qui lui faisait crier victoire ? se demanda-t-elle. Ne pressentait-il donc pas, comme elle, que la lutte sensuelle qui les opposait ne connaîtrait pas de perdant ?

Ces questions se perdirent cependant dans les limbes de sa pensée quand Matt, écartant doucement ses cuisses, la pénétra d'un mouvement souple. Instinctivement, elle s'arqua contre lui et noua les jambes autour de sa taille pour mieux le recevoir, avant de s'abandonner au langoureux va-et-vient qu'il imprimait à ses hanches.

Flottant sur un nuage de sensualité, Nicole se laissait bercer par la douce sensation de ne plus s'appartenir. Elle n'avait jamais ressenti une impression de fusion aussi intense et bientôt, elle n'eut plus conscience que du mouvement harmonieux de leurs corps enlacés. Le plaisir ne tarda pas à déferler en elle par vagues successives, la prenant presque par surprise, l'emportant chaque fois un peu plus loin sur les cimes de l'extase. Quand il sentit les frémissements langoureux qui parcouraient son corps, Matt plongea plus profondément en elle, et la rejoignit dans une explosion de sensations extraordinaires.

Quelques minutes s'écoulèrent dans un silence entrecoupé de soupirs. Puis Matt roula sur lui-même en l'entraînant avec lui. Nicole se retrouva ainsi allongée sur son amant, la tête nichée dans le creux de son épaule. Ils restèrent immobiles, au point qu'elle eut l'impression que le temps s'était arrêté et qu'ils étaient seuls au monde.

Malheureusement, la sonnerie du téléphone les rappela brutalement à la réalité.

11.

En un éclair, Nicole se rappela où elle se trouvait. Avant que la seconde sonnerie retentisse, elle s'arracha à l'étreinte de Matt et s'assit sur le bord du lit. Jetant un coup d'œil rapide au réveil de la table de chevet, elle constata avec effroi qu'il était déjà 6 h 30. Il ne leur restait plus que trois quarts d'heure avant le rendez-vous dans le hall.

— Il faut nous dépêcher ! s'écria-t-elle en s'emparant du combiné.

« Pas de panique ! » s'enjoignit-elle en prenant une profonde inspiration. Il s'agissait sûrement d'Isabella King, qui voulait savoir si ses recherches aux archives avaient été fructueuses. Elle n'osait imaginer ce que la vieille dame penserait d'elle si elle apprenait qu'elle venait de coucher avec son petit-fils.

— Allô ?

Comme elle l'avait prévu, c'était son employeuse. Ne pouvant décemment avouer qu'elle n'était pas prête, Nicole dut répondre à diverses questions avant de pouvoir raccrocher : après avoir donné un rapide compte rendu de sa journée, elle confirma qu'elle n'avait pas oublié la soirée au théâtre et mentit effrontément en affirmant avoir dîné sur le pouce. Chaque minute qui s'écoulait lui rappelait qu'elle allait manquer de temps pour se préparer.

Lorsqu'elle put enfin mettre un terme à la conversation sans heurter Isabella King, sa nervosité n'en diminua pas pour autant. Elle était bien trop consciente de la présence de Matt. Et même si elle lui avait tourné le dos durant tout l'entretien, aucun des gestes de son compagnon ne lui avait échappé.

Tandis qu'elle parlait avec Isabella, il était à son tour sorti du lit, puis avait ramassé ses vêtements. Mal à l'aise à l'idée de ne pouvoir couvrir sa propre nudité, Nicole espéra qu'il s'en irait aussitôt qu'il serait habillé. Contre toute attente, il n'avait cependant pas fait mine de quitter la chambre.

Embarrassée par le silence qui régnait à présent, Nicole gardait les yeux obstinément fixés sur le téléphone. Le cœur battant la chamade, elle ne pouvait toutefois s'empêcher de se demander si Matt était aussi profondément affecté qu'elle par ce qui venait de se passer entre eux. Soudain, son besoin d'être rassurée fut plus fort que sa gêne, et elle tourna timidement la tête pour jeter un coup d'œil par-dessus son épaule.

Debout près de la porte, dans une attitude qui dénotait une assurance incroyable, Matt la fixait de son regard aux profondeurs insondables.

— Je vous attendrai dans le hall à 7 h 15. Nous reprendrons tout depuis le début, l'informa-t-il. Ne vous avisez surtout pas de me faire faux bond, Nicole.

A la lueur menaçante qui scintillait dans ses yeux, elle comprit qu'il ne plaisantait pas. Mais avant qu'elle ait pu ajouter quoi que ce soit, il avait quitté la chambre.

Curieusement, même après le départ de Matt, sa présence imprégnait encore la pièce, songea Nicole avec un pincement de nostalgie. Oubliant qu'elle n'avait plus beaucoup de temps pour se préparer, elle s'allongea de nouveau sur le lit et, fermant les yeux, elle laissa son esprit vagabonder.

Elle aurait tellement voulu connaître les sentiments de Matt sur ce qui venait de se passer ! Mais il ne fallait apparemment pas compter sur lui pour les dévoiler. Elle se remémora la réflexion qu'il lui avait lancée : « Ne me faites pas faux bond », avait-il déclaré. Il pouvait s'agir d'une allusion à ses absences répétées — dans l'avion cet après-midi, ou au déjeuner à King's Castle. Devait-elle en déduire qu'il les avait prises comme un affront personnel ? Il aurait d'ailleurs eu raison, puisqu'elle cherchait effectivement à l'éviter !

En attendant, elle pensait détenir la preuve qu'elle occupait les pensées de Matt King autant qu'il occupait les siennes, sinon pourquoi ces absences l'auraient-elles autant irrité ?

Quels que soient les sentiments de Matt à son égard, de toute évidence, il ne comptait pas faire comme si rien ne s'était passé. Il semblait même tenir beaucoup à ce qu'elle soit à son côté, ce soir. Envisageait-il de donner un tour nouveau à leur relation ? se demanda-t-elle. Leur étreinte lui avait peut-être paru trop brève ? Elle-même était prête à recommencer l'expérience, car elle devait s'avouer qu'elle aurait du mal à se lasser d'un amant aussi parfait. Cette réflexion amena un faible sourire sur ses lèvres : en couchant avec Matt King, elle n'avait pas songé aux conséquences de ce coup de folie. Pour l'instant, elle se sentait merveilleusement bien... Mais que lui réservait l'avenir ? Elle ne voulait pas que Matt s'imagine désormais qu'il pouvait faire d'elle ce qu'il voulait.

Soudain, la pensée de la robe de taffetas noire s'imposa comme une évidence, et un projet commença à germer dans son esprit. Oui ! Conformément à ses « ordres », elle rejoindrait Matt dans le hall à 7 h 15. Mais elle n'aurait rien d'une faible créature soumise à sa volonté. On allait voir lequel des deux se traînerait aux pieds de l'autre !

Matt arriva le premier au point de rencontre. Il tenait à voir sa grand-mère avant l'arrivée de Nicole pour s'assurer qu'il serait bien assis à côté de la jeune femme dans la limousine et au théâtre. Il ne voulait rien laisser au hasard, et tant pis si sa requête donnait de faux espoirs à Isabella : il n'envisageait pas un instant d'épouser Nicole Redman, même s'il savait à présent qu'elle était une merveilleuse partenaire au lit.

Enfin sa grand-mère sortit d'un des ascenseurs en compagnie d'Alex et Rosita. Ils étaient tous très élégants : la classe naturelle d'Alex était mise en valeur par la coupe sobre de son smoking. *Nonna,* comme d'habitude, avait l'air d'une reine ; ses cheveux blancs relevés en un chignon, elle était vêtue d'une robe de soie bleue et des diamants étincelaient à son cou et à ses oreilles. Rosita, rayonnante d'excitation, portait une robe de dentelle mauve.

Au prix d'un effort considérable, Matt parvint à leur rendre leurs sourires. Il avait beaucoup de peine, en effet, à partager l'enthousiasme général, alors qu'il ne pensait qu'à se retrouver de nouveau en tête à tête avec Nicole. Quand le trio l'eut rejoint au centre du hall, il s'adressa aussitôt à sa grand-mère.

— Comment allons-nous nous répartir ? Tu montes dans la première limousine, avec Alex et Rosita, et les autres suivent ?

Isabella fit mine de réfléchir avant de déclarer que Nicole voudrait peut-être prendre la même voiture que Rosita et elle.

— Ça ne me paraît pas la meilleure option, objecta Matt. A mon avis, il vaudrait mieux que toi et Rosita remontiez le tapis rouge aux bras d'Alex. Votre arrivée aura plus de panache. Quant à Nicole, elle pourrait venir avec Tony, Hannah et moi dans la seconde limousine.

— Matt a raison, approuva Alex.

— Nous suivrons donc ses conseils ! s'exclama Isabella.

Avait-il imaginé la fugitive expression de satisfaction qui illumina le regard de sa grand-mère ? Matt n'aurait su le dire. Le sourire radieux de la vieille dame, en revanche, était bien réel. En son for intérieur, il rechignait à laisser croire à Isabella qu'il tombait dans son piège matrimonial, aussi n'insista-t-il pas pour les places au théâtre. Après tout, il lui suffirait de ne pas lâcher Nicole d'une semelle, et ils seraient inévitablement placés côte à côte. A moins que la jeune femme ne parvienne à lui échapper, une fois arrivée au théâtre…

Matt estimait peu vraisemblable qu'elle lui batte froid en présence de toute la famille. Pourtant, malgré l'intimité qu'ils venaient de partager, il devait admettre qu'il ignorait comment Nicole allait se comporter. Elle avait succombé à une puissante attirance charnelle, c'était indéniable, mais cela ne signifiait pas qu'elle appréciait sa compagnie en dehors de la chambre à coucher. Matt regrettait à présent qu'ils n'aient pas eu le temps de parler. Ils auraient pu trouver un terrain d'entente et il ne serait pas là à se questionner sans fin.

Comme il surveillait toujours attentivement les ascenseurs, il fut le premier à apercevoir Tony et Hannah. Cette dernière avait une allure fantastique, dans sa robe verte rebrodée de perles, tandis que ses boucles blondes retombaient en cascades sur ses épaules. Sa taille fine ne laissait pas encore deviner sa grossesse.

Jetant un coup d'œil à sa montre, il constata qu'il était 7 h 13. Si Nicole n'était pas là dans deux minutes, il irait la chercher lui-même dans sa chambre ! décida-t-il. Elle n'allait pas encore trouver un prétexte pour se défiler. S'imaginait-elle qu'elle pouvait coucher avec lui, puis faire comme s'il n'existait pas, une fois son désir assouvi ?

Lorsqu'il surprit le regard intrigué dont sa grand-mère le couvait, il se ressaisit aussitôt. Adoptant une attitude nonchalante, il balayait le hall d'un œil indifférent quand son regard fut irrésistiblement attiré par une silhouette en rouge et noir qui s'imprimait dans la partie supérieure de son champ de vision. Machinalement, il leva les yeux vers la galerie de l'entresol. C'est alors qu'il l'aperçut. La foudre s'abattant à ses pieds ne l'aurait pas sidéré davantage.

Immobile, en haut des marches, Nicole le regardait.

Le cœur de Matt bondit dans sa poitrine et, en une fraction de seconde, il fut transporté dix ans en arrière. Comme à l'époque, il fut incapable de détacher son regard de cette apparition : les reflets cuivrés de sa chevelure sur le noir de sa tenue formaient un contraste saisissant avec son teint de nacre. Il aurait pu la suivre au bout du monde, et pourtant il ne l'avait pas fait. Et elle était réapparue dans son existence après toutes ces années…

— Oh, voilà Nicole ! s'exclama Isabella. Elle a dû se tromper de bouton dans l'ascenseur, et descendre à l'entresol.

« Certainement pas ! » pensa Matt, qui avait deviné que cette entrée théâtrale avait été mûrement planifiée. Ses soupçons furent d'ailleurs confirmés par la jeune femme elle-même : dès qu'elle fut sûre d'avoir attiré son attention, elle commença à descendre lentement les marches. Les yeux toujours rivés aux siens, elle se complaisait apparemment à attiser son désir.

Il se souvint qu'il l'avait accusée d'utiliser ses charmes pour parvenir à ses fins, tout en sous-entendant que lui-même était trop malin pour se laisser embobiner. Et voilà qu'elle lui démontrait justement le contraire !

Il était fasciné… Sa robe noire, qui épousait à merveille les courbes de son corps élancé, était la tenue la plus sexy que Matt ait jamais vue. L'encolure basse dégageait son cou et mettait en valeur la blancheur de ses bras fins, tandis que le décolleté audacieux révélait la rondeur de ses seins. S'arrêtant aux genoux, la jupe était garnie d'une traîne à l'arrière, qui balayait les marches. L'étoffe brillante miroitait à chacun de ses pas, parachevant l'impression de sensualité qui se dégageait de toute sa personne.

Matt se rendit soudain compte qu'il s'avançait au-devant de la jeune femme. Il avait tout simplement été incapable de résister à la puissante attirance qu'elle exerçait sur lui ! Il aurait préféré que Nicole ignore qu'elle possédait ce pouvoir, mais il était trop tard maintenant pour reculer. Aussi continua-t-il d'avancer le plus naturellement du monde jusqu'au pied de l'escalier. Quoi de plus normal, après tout, qu'un cavalier vienne accueillir la femme qu'il devait escorter ?

Quand elle posa le pied sur la dernière marche, Nicole baissa les paupières, comme pour s'assurer qu'elle n'allait pas trébucher. Mais la lueur qui avait éclairé son regard n'avait pas échappé à Matt. Elle était visiblement satisfaite de l'hommage muet qu'il venait de rendre à sa beauté.

Se rappelant à temps que sa famille les regardait, Matt réprima l'impulsion qui le poussait à prendre la jeune femme dans ses bras. Ce n'était pas le moment de se laisser dominer par ses instincts de mâle ! Il ne voulait surtout pas montrer à sa grand-mère qu'en cet instant, il désirait Nicole — la femme qu'elle avait choisie pour lui ! — comme il n'avait jamais désiré aucune femme.

Fort de cette résolution, et déterminé à ne pas laisser Nicole lui faire perdre la tête, Matt lui offrit son bras. Elle le remercia, et ce fut seulement quand il sentit que son cœur se remettait à battre à un rythme régulier, qu'il réalisa à quel point il avait redouté qu'elle refuse de l'accompagner.

Curieusement, elle évitait son regard à présent. Et quand elle l'avait remercié, il avait cru déceler de l'incertitude dans le ton de sa voix. Où donc étaient passés son assurance et son sourire triomphant ? L'étonnement de Matt ne fit qu'augmenter quand il sentit le bras de la jeune femme trembler légèrement contre le sien. Craignant qu'elle ne change d'avis, et qu'elle ne l'abandonne au beau milieu du hall, il posa une main sur la sienne.

— Vous êtes vraiment superbe, ce soir ! déclara-t-il en la conduisant fermement vers le petit groupe qui les attendait.

— Vous aussi.

Elle avait pratiquement marmonné sa réponse, comme s'il lui en coûtait de lui parler. Regrettait-elle d'avoir couché avec lui ? se demanda-t-il. Ou redoutait-elle qu'il ne profite de la situation pour se montrer trop entreprenant ? Dans ce cas, pourquoi avait-elle choisi une tenue aussi audacieuse ?

Levant les yeux, il vit qu'Alex, sa grand-mère et Rosita se dirigeaient déjà vers la porte où les attendaient les limousines. Tony et Hannah étant restés en arrière, Matt leur fit signe de loin de ne pas s'occuper d'eux.

— Il faut que nous parlions, commença-t-il.

— Je pensais que vous m'aviez dit tout ce que vous vouliez.

Etait-ce la colère qui enflammait les joues de sa compagne ? se demanda Matt. Allait-elle le blâmer pour ce qui s'était passé entre eux, alors qu'elle l'avait autant voulu que lui ?

— Certainement pas ! continua-t-il d'un ton ironique. Ce n'était qu'un commencement.

— Vous n'avez pas eu ce que vous désiriez ?

— Vous plaisantez ? Si les circonstances avaient été différentes, nous serions encore dans votre lit, à l'heure qu'il est.

Cette fois, Nicole s'abstint de répondre. Mais Matt ne put s'empêcher de remarquer qu'elle ne l'avait pas contredit, même si elle ne voulait pas admettre qu'il avait raison. Pourquoi lui rendait-elle les choses si difficiles ? Il voulait vraiment avoir une conversation sérieuse avec elle... Il fit une autre tentative.

— Nous n'avons pas vraiment le temps, maintenant, mais après le spectacle...

— Il y aura une réception, l'interrompit-elle, avant d'ajouter : et j'ai l'intention de m'y rendre. Avec ou sans vous. Je ne vous laisserai pas me dicter ma conduite, Matt King !

Les yeux de la jeune femme lançaient des éclairs mais Matt ne voulut pas s'avouer vaincu.

— Loin de moi l'idée de vous dicter quoi que ce soit ! Je pensais seulement que nous pourrions parler de choses que nous avons en commun.

— Qu'avons-nous en commun, hormis une attirance sexuelle ?

— Vous en parlez comme si ça ne comptait pas.

— Evidemment, ça compte ! Mais ce n'est pas l'essentiel d'une relation.

— Je sais.

— Vous n'avez pas fait beaucoup d'efforts pour me montrer que je vous intéressais sur un autre plan.

Matt sentit l'impatience le gagner devant tant de mauvaise foi.

— Comment étais-je censé vous montrer que je m'intéressais à vous, alors que vous m'évitiez comme la peste ?

— Vous étiez odieux !

— Ah, nous faisons des progrès ! déclara-t-il d'un ton moqueur. Vous avez employé le passé. J'en déduis que la satisfaction de notre désir réciproque aura eu au moins une conséquence positive.

Jugeant sans doute indigne d'elle de relever sa remarque, Nicole se contenta de hausser dédaigneusement les épaules.

Ce mouvement attira l'attention de Matt sur son cou gracieux et il se demanda combien de temps il lui faudrait pour le faire ployer sous ses baisers. Décidément, il n'était pas d'humeur à aller écouter *West Side Story*, ce soir. *La Mégère apprivoisée* lui aurait mieux convenu !

Un bref coup d'œil vers la grande porte lui apprit qu'Alex, sa grand-mère et Rosita étaient déjà montés dans leur voiture. Tony et Hannah, quant à eux, les attendaient pour prendre place dans la seconde limousine, stationnée devant l'hôtel.

Matt songea avec soulagement que la jeune femme n'avait pas protesté à l'idée de prendre le même véhicule que lui. Elle avait également accepté qu'il soit son cavalier pour la soirée ; il pouvait donc légitimement supposer que sa présence ne lui était plus insupportable. La seule ombre au tableau était qu'elle lui en voulait d'être parti sans le moindre mot doux après qu'ils eurent fait l'amour. Mais étant donné la façon dont elle l'avait traité précédemment, elle ne pouvait pas s'attendre à un changement aussi radical.

En fait, il s'était plutôt bien comporté avec elle, se dit Matt. Que lui reprochait-elle donc ?

— Je suis sûr que vous apprécierez le spectacle de ce soir, déclara-t-il à brûle-pourpoint.

— Que voulez-vous dire ?

Le ton ironique de sa remarque l'avait visiblement désarçonnée et elle semblait se méfier des sous-entendus qu'elle pourrait contenir.

— N'est-ce pas ce que vous souhaiteriez pour nous : une histoire d'amour impossible, deux amants maudits… ?

Elle le dévisagea quelques secondes en silence, et quand elle parla, son expression était devenue franchement glaciale.

— Vous êtes très fort pour échafauder des hypothèses, n'est-ce pas ?

— Je n'en serais pas là, si vous n'étiez pas aussi cachottière.

— Commencez donc par poser des questions, avant de laisser votre imagination vagabonder ! Je déteste qu'on me juge sans me connaître.

— D'accord ! Après le spectacle...

— J'irai à la réception, répéta-t-elle obstinément.

— Ça tombe bien, moi aussi.

Ils étaient arrivés près de la limousine et durent interrompre leur conversation. Hannah et Tony étaient déjà montés dedans, et Nicole et Matt s'installèrent à leur tour.

En observant son frère et sa belle-sœur assis en face de lui, Matt éprouva un désagréable pincement de jalousie. Tony respirait littéralement le bonheur et la raison n'en était pas difficile à trouver : elle était juste à côté de lui et lui tenait tendrement la main. Hannah rayonnait aussi et Matt songea que ces deux-là étaient vraiment amoureux. Lui, en revanche, devait supporter cette sorcière rousse qui prenait un malin plaisir à le faire griller à petit feu.

Mais elle ne lui résisterait pas longtemps ! Si elle pensait qu'elle pourrait aisément se débarrasser de lui à la réception après le spectacle, il se chargerait de la détromper. Il échafaudait des hypothèses, avait-elle dit ? Mais le désir qui les consumait n'avait rien d'une hypothèse... et il n'était pas près de s'éteindre !

12.

Isabella King, Alex et Rosita occupaient la première rangée de fauteuils dans la loge spacieuse que les King avaient réservée au Galaxy Theatre. Nicole, quant à elle, avait été placée à côté de Matt, sur la deuxième rangée, auprès de Tony et Hannah. Ignorant si elle aurait été capable d'avoir une conversation courtoise avec le jeune homme, elle avait été soulagée d'apprendre qu'ils partageraient tous la même loge.

Elle n'était pas seule avec Matt, mais sa nervosité n'en avait pas diminué pour autant. La simple présence de cet homme suffisait en effet à la troubler. Ç'avait été le cas à chacune de leurs rencontres, et depuis cet après-midi, cette sensation n'avait fait qu'empirer. Elle repensait sans cesse à l'incroyable intimité qu'ils avaient partagée, et les souvenirs érotiques qui se bousculaient dans son esprit lui mettaient les nerfs à fleur de peau. C'était en partie pour cette raison qu'elle s'était comportée avec autant de brusquerie dans le hall de l'hôtel.

Pourquoi accordait-elle tant d'importance à de simples réactions physiques ? Comparé à l'amour, au respect, à la confiance et à la complicité, le sexe en soi n'était rien. Matt semblait néanmoins persuadé qu'il n'aurait qu'à claquer des doigts pour qu'elle accepte de poursuivre l'aventure. Elle aurait voulu le guérir de son insupportable arrogance, mais le problème, c'est qu'elle brûlait effectivement de s'abandonner de nouveau à l'enivrante étreinte de ses bras !

Ne sachant comment elle pourrait sortir de ce dilemme, Nicole accueillit avec soulagement les premières notes de la comédie musicale. Si elle eut d'abord un peu de mal à oublier ses préoccupations, elle fut cependant rapidement captivée par l'intrigue et la musique de ce *Roméo et Juliette* contemporain. Le metteur en scène avait réussi à faire ressortir toute la dimension tragique du livret, en installant le drame par petites touches, rendant peu à peu inéluctable le dénouement final.

Chaque fois que Gina chantait, un silence religieux emplissait la salle. Son jeu subtil et le pouvoir émotionnel de sa voix en faisaient une merveilleuse Maria. Les autres interprètes étaient également très bons, mais Gina sortait indiscutablement du lot. Et l'accueil chaleureux que le public réservait à chacune de ses apparitions laissait augurer, non seulement du succès du spectacle, mais du triomphe personnel de la chanteuse. Dans la loge de la famille King, l'excitation et la fierté étaient palpables, et mettaient sur les lèvres de chacun un sourire ravi.

L'émotion fut à son comble durant la deuxième partie du spectacle. Au point que des larmes commençaient à picoter les yeux de Nicole. Voulant prendre un mouchoir, elle se baissa pour fouiller dans l'obscurité à la recherche de son sac à main. Elle commençait à désespérer, quand Matt vint à son secours en lui tendant un mouchoir. Songeant qu'elle ferait trop de bruit en continuant à chercher son sac, elle l'accepta, et remercia son compagnon d'un petit signe de la tête. Le mouchoir se révéla très utile au moment de la mort de l'amant de Maria, quand celle-ci entonna une des plus belles chansons de la pièce : *Somewhere.*

Cet hymne à l'amour et à l'espoir déclencha un tel flot d'émotions en Nicole, qu'elle ne put retenir ses larmes. Sa poitrine se gonfla en un sanglot silencieux. Et lorsque Matt posa une main sur la sienne dans un geste de réconfort, elle la prit et la serra de toutes ses forces, comme une naufragée se raccrochant à sa planche de salut.

Quand le rideau tomba, on n'entendit plus que des reniflements dans la salle. Puis, quelques applaudissements épars retentirent çà et là, bientôt appuyés par d'autres, de plus en plus nombreux ; et finalement, un tonnerre d'applaudissements submergea la salle.

Ce ne fut qu'en voulant participer elle aussi à cette manifestation d'enthousiasme que Nicole se rendit compte qu'elle tenait toujours la main de Matt dans la sienne.

Elle prit soudain conscience de la force qui émanait de cette main d'homme. Son cœur battant à tout rompre, elle songea qu'elle aurait bien voulu encore se réchauffer à son contact rassurant. Mais une petite voix intérieure lui soufflait que l'attirance qu'elle éprouvait pour Matt n'avait rien de rassurant. Terriblement confuse, elle lança un regard éloquent à son compagnon, tout en remuant ses doigts. Celui-ci prit le temps de la gratifier d'un petit sourire ironique, avant de relâcher sa main. Puis il se joignit au concert d'acclamations.

Gina fut longuement ovationnée. Quand on vint lui porter un immense bouquet de roses rouges, elle se tourna instinctivement vers la loge où se trouvait son mari pour lui dédier un sourire resplendissant. Alex se pencha pour lui envoyer un baiser de la main, et elle lui répondit de même. Le spectacle d'un amour aussi manifeste provoqua un pincement d'envie chez Nicole.

Pourquoi Matt et elle n'éprouvaient-ils pas ce genre de sentiments l'un pour l'autre ? se demanda-t-elle en se tournant vers lui. Il avait suivi l'échange entre son frère et sa belle-sœur, un petit sourire en coin sur les lèvres. Comme s'il avait deviné qu'elle le regardait, il pencha légèrement la tête vers elle et elle fut troublée par son regard indéchiffrable. Rougissant violemment, elle détourna immédiatement la tête pour cacher sa confusion. Quand ses yeux fixèrent de nouveau la scène — qu'elle regardait sans vraiment la voir — elle se dit que Matt ne se posait sûrement pas ce genre de questions. Sa moue amusée indiquait clairement qu'il se moquait des manifestations de tendresse. Pensait-il que le véritable amour entre un homme et une femme était un sujet de dérision ? Ne s'intéressait-il qu'au sexe ?

Ou était-ce la seule chose qui l'intéressait avec elle ? Le frisson qui parcourut Nicole à cette pensée n'avait rien d'agréable. C'était comme si tout son corps se révoltait à l'idée de n'être qu'un objet sexuel aux yeux de Matt. Pourtant, quand elle pensait à l'incroyable attirance qui existait entre eux, elle ne pouvait croire qu'il s'agissait seulement de quelque chose de physique. Ça n'avait pas de sens !

Nicole était encore en train d'analyser les sentiments contradictoires qu'elle éprouvait pour Matt, quand Peter Owen, le producteur et metteur en scène du spectacle, fit son apparition pour saluer à son tour le public. Un sourire attendri étira ses lèvres presque malgré elle quand elle vit l'expression triomphale que ce dernier arborait. Dans un bref discours, il remercia les spectateurs pour l'accueil enthousiaste qu'ils avaient réservé à la pièce.

En quelques minutes à peine, grâce à son charme et son bagout incroyables, Peter avait réussi à les faire rire aux éclats. Quand il quitta à son tour la scène après une dernière salve d'applaudissements, la salle bourdonnait d'excitation. Autrefois, elle le surnommait *Peter Pan,* songea Nicole, parce que son insouciance imperturbable avait le don de lui faire oublier ses soucis. La bonne humeur communicative du chanteur-compositeur était même parvenue à égayer les journées les plus sombres de son enfance.

L'agitation qui régnait dans la loge et le bruit des fauteuils qu'on repoussait arrachèrent Nicole à ses souvenirs.

— Je vais voir Gina pendant que la salle se vide, déclara Alex en se levant. Je ne serai pas long.

— Prends tout ton temps Alessandro, répondit Isabella, nous ne sommes pas pressés.

Quand l'aîné de ses petits-fils fut sorti, elle se tourna vers Nicole pour lui demander ce qu'elle pensait de la mise en scène de Peter.

— C'était magnifique ! J'ai été d'autant plus surprise que je ne lui connaissais pas ce talent.

La vieille dame acquiesça d'un hochement de tête avant de s'adresser à Matt :

— Savais-tu que Nicole a connu Peter quand il n'était encore qu'un tout jeune pianiste ?

Au regard qu'il lui lança, Nicole vit que cette information prenait Matt de court.

— Il jouait avec votre père ? lui demanda-t-il en fronçant les sourcils.

Voilà au moins un sujet qui ne risquait pas de dégénérer en dispute, se dit-elle avec une pointe de soulagement.

— De temps en temps, confirma-t-elle. Mais le circuit des clubs de jazz étant plutôt rude pour les débutants, Peter a fini par changer de registre. J'avoue que j'ai regretté son départ, quand il a été engagé comme pianiste-chanteur sur un paquebot.

— Comment se fait-il que vous n'en parliez pas dans votre livre ?

Ce fut au tour de Nicole d'être estomaquée. Elle n'en croyait pas ses oreilles : Matt avait pris le temps de lire son livre ! Son cœur se mit à battre de façon désordonnée et elle se demanda si cela signifiait qu'il s'intéressait enfin à elle en tant que personne.

— Tu ne m'avais pas dit que tu avais lu *Le Tambour d'Ollie*, intervint Isabella King, d'un ton où perçait le reproche.

Apparemment, Nicole n'était pas la seule que la révélation de Matt avait surprise. Ce dernier affichait à présent une expression fermée, comme s'il regrettait que sa question ait soulevé un tel intérêt.

— Etant donné que tu avais engagé Nicole pour écrire l'histoire de notre famille, j'étais curieux de découvrir comment elle s'en était tirée avec la sienne.

— Et votre curiosité a été satisfaite ? demanda Nicole sèchement.

— Oui. Votre livre est très bien écrit et vous savez tenir le lecteur en haleine.

Le ton laconique de Matt indiquait clairement qu'il ne fallait surtout pas chercher dans son comportement une quelconque marque d'intérêt personnel. Dire que pendant quelques secondes, elle avait espéré qu'il voulait découvrir sa véritable personnalité ! En fait, il avait sûrement lu son livre en diagonale, à la recherche de détails qui le conforteraient dans l'opinion détestable qu'il avait d'elle.

Bouillonnant de rage, elle se rappela qu'il l'avait soupçonnée de vouloir escroquer sa grand-mère, et de faire commerce de ses charmes ! La lecture du *Tambour d'Ollie* l'avait apparemment rassuré sur ces deux points et il en avait conclu qu'il pouvait coucher avec elle sans risquer de mauvaises surprises… Sa colère retomba cependant d'un cran, quand elle repensa aux excuses qu'il lui avait présentées dans la salle de billard. Il avait même affirmé qu'il la respectait. Ce n'est pas l'impression qu'il lui avait donnée, cependant, quand il avait fait irruption dans sa chambre, cet après-midi. S'il l'estimait tant que ça, pourquoi n'avait-il même pas pris la peine de lui faire la cour ? Certes, il s'était assuré de son consentement, mais tout s'était passé si vite... A présent, elle se haïssait de lui avoir cédé, autant qu'elle haïssait Matt d'avoir couché avec elle. Ne pouvant toutefois pas laisser éclater son mépris et sa colère devant tout ce monde, elle parvint à se ressaisir, et remercia Matt pour ce qui était — malgré tout — un compliment sur son travail. Puis elle se tourna vers Isabella King.

— Pour en revenir au spectacle, déclara-t-elle, je conviens que la mise en scène était particulièrement réussie, mais Peter avait un atout de taille : il savait que Gina remporterait tous les suffrages. Elle a une voix incroyable.

— Peter a cru en elle dès qu'il l'a entendue chanter, répondit la vieille dame.

— Et ce soir, elle lui a prouvé qu'il avait eu raison, renchérit Hannah.

Nicole profita de l'intervention de la jeune femme pour se tourner vers elle, et elles bavardèrent ensemble, échangeant leurs impressions au milieu du joyeux brouhaha qui régnait dans la loge.

Le retour d'Alex donna le signal du départ. Tandis qu'ils quittaient la loge, Nicole entendit vaguement celui-ci décrire à sa grand-mère et à Rosita l'ambiance euphorique des coulisses. Son attention était toutefois accaparée par Matt, qui lui avait emboîté le pas et marchait maintenant à son côté.

Lorsqu'ils arrivèrent en haut du grand escalier menant au foyer, il lui offrit son bras, qu'elle accepta après une brève hésitation. En effet, à cause de ses talons hauts et de sa robe moulante, elle aurait dû de toute façon se tenir à la rampe pour descendre les larges marches de marbre. Et refuser l'aide de Matt aurait été franchement grossier. Elle ravala donc sa rancœur, et tentant d'ignorer le frisson qui la parcourut quand son compagnon serra son bras contre le sien, elle commença à avancer.

Seuls leurs bras se touchaient, mais ce simple contact raviva dans l'esprit de Nicole le souvenir de leur étreinte passionnée, et elle ne put s'empêcher de repenser à la douceur de la peau nue de Matt contre la sienne. Dans l'espoir de s'arracher à cette troublante impression d'intimité qu'elle ressentait en sa présence, elle aurait voulu se rapprocher du reste du groupe. Son compagnon, toutefois, semblait bien décidé à laisser sa famille prendre de l'avance, car il ralentissait imperceptiblement le pas.

— Quel âge aviez-vous quand vous avez connu Peter Owen ? demanda-t-il de but en blanc.

De toute évidence, Matt ne partageait pas son trouble, et sa question directe constitua pour Nicole un rappel à l'ordre salutaire.

— Dix ans.

— Ah, vous n'étiez encore qu'une gamine !

— Le fait que j'étais une « gamine », comme vous dites, ne nous empêchait pas de nous apprécier mutuellement.

— Je suppose que Peter était charmant, comme lui seul sait l'être, déclara Matt d'un ton narquois.

— Il l'était, effectivement ; à l'époque, j'étais très contente qu'il soit gentil avec moi.

— Je n'en doute pas un instant ! Votre vie devait en effet manquer de « charme ». Ce n'était certainement pas drôle de passer des soirées entières à attendre votre père dans des halls d'hôtels, ou dans des clubs, à veiller à ce qu'il rentre bien à la maison au lieu de faire la tournée des bars après ses concerts.

La nuance de sarcasme qu'elle avait cru déceler dans la voix de Matt lui fit tourner la tête pour le dévisager. Dans les yeux noirs fixés sur elle, Nicole ne vit qu'une expression indéchiffrable.

— Vous pensez vraiment qu'il valait les sacrifices que vous avez faits pour lui ? reprit-il.

— Vous ne pouvez pas comprendre…

— En effet, je ne comprends pas. C'est lui qui aurait dû s'occuper de vous, et non l'inverse. Quel genre d'homme peut faire passer sa batterie et une bouteille de whisky avant le bien-être de son enfant ? Vous n'aviez que neuf ans quand votre mère est morte…

— C'était mon père ! coupa-t-elle farouchement.

— Justement ! Cela implique des devoirs, répliqua Matt avec la même véhémence. Pensez-vous qu'Alex ou Tony négligeraient leurs responsabilités envers leurs enfants ?

— Alex et Tony vivent dans un tout autre monde !

— Ce sont des hommes.

— Tous les hommes ne se ressemblent pas.

— C'est vrai. Mais aujourd'hui vous n'êtes plus une gamine, et vous devriez accepter de voir les choses en face. Si j'en crois sa biographie, votre père était un homme charmant, quand il était sobre. Mais à mon avis, cela ne suffit pas à excuser son comportement le reste du temps.

— Comme d'habitude, vous portez des jugements sans savoir de quoi vous parlez, rétorqua Nicole.

— Je sais de quoi je parle ! Je sais que Peter Owen a été plusieurs fois marié et divorcé, et je suis persuadé que ses ex-femmes le trouvaient absolument charmant, au début. Souvenez-vous-en, à la réception.

Les yeux sombres de Matt étaient chargés de défi. Nicole aurait voulu lui expliquer pourquoi il était si difficile de partager la vie d'un artiste. Mais elle avait du mal à trouver ses mots.

— Si vous ne comprenez pas ce que leur art représente pour eux..., commença-t-elle.

— Vous trouvez normal que l'expression de leur créativité soit plus importante à leurs yeux que les besoins de leurs proches ? l'interrompit-il. Tout passe au second plan, sauf leur art. Vous avez occupé cette « seconde place » pendant des années, Nicole, et vous ne me ferez pas croire que cette situation était agréable !

La jeune femme s'apprêtait à défendre bec et ongles son point de vue, quand elle comprit que Matt était en fait jaloux de Peter Owen. Le bras qui encerclait le sien lui sembla soudain très possessif. Elle se souvint de l'irritation de Matt lorsqu'elle avait insisté pour se rendre à la réception du producteur ; puis la curiosité dont il avait fait preuve à propos de ses rapports avec ce dernier... S'il lui avait rappelé à quoi ressemblait sa vie avec son père, c'était sans doute uniquement pour l'avertir de ce qui l'attendait avec le pianiste. Ces remarques, qui lui avaient d'abord parus inexplicables, commençaient à prendre un sens. Ce qui lui semblait extravagant, en revanche, c'est que Matt s'imagine qu'elle était attirée par Peter parce qu'elle l'avait trouvé gentil quand elle avait une dizaine d'années !

Sidérée par les détours qu'il avait empruntés pour lui conseiller de se méfier du musicien, Nicole secoua la tête.

Ils avaient presque atteint le foyer. Dans quelques minutes, ils monteraient dans la limousine qui les ramènerait à l'hôtel, où la réception devait avoir lieu dans un salon particulier. Nicole crut que la présence des autres mettrait un terme à leur conversation. Mais Matt ne semblait pas disposé à en rester là.

— Vous êtes libre, maintenant, affirma-t-il à mi-voix. Libre de faire ce que *vous* voulez, de poursuivre votre propre voie. Tout à l'heure dans votre chambre, vous avez librement choisi de coucher avec moi… Vous êtes-vous demandé ce que signifiait cette décision ?

Elle n'en savait rien ! Et ce n'était pas faute d'avoir retourné la question dans sa tête. Ce qui s'était passé entre eux tout à l'heure était si déroutant qu'elle préférait par moments imaginer qu'elle avait rêvé.

Comme ils venaient de rejoindre Tony et Hannah devant le théâtre, Nicole fut dispensée de répondre. Affichant un sourire légèrement tendu, elle monta dans la limousine qui les attendait. Néanmoins, durant le trajet du retour, elle ressassa les paroles de Matt. Il avait eu raison sur un point : elle était libre comme l'air. Elle n'avait aucune attache familiale ou personnelle. Et depuis quelques années déjà, elle s'offrait même le luxe de pouvoir choisir ses employeurs.

Curieusement, avant ce soir, elle ne s'était jamais posé la question de savoir comment elle en était arrivée là. Traumatisée par le désespoir qu'elle avait ressenti à la mort de son père, elle avait volontairement évité toute relation profonde après la disparition de celui-ci.

Elle n'avait pas clairement formulé son besoin d'exister enfin par elle-même et pour elle-même, et pourtant c'est essentiellement ce qu'elle avait fait pendant les années d'études qui suivirent.

Désormais, elle avait pris l'habitude d'être seule. Certes, cette solitude lui avait pesé — malheureusement, chaque fois qu'elle avait voulu la briser pour vivre avec quelqu'un, ç'avait été un échec. Peut-être était-elle trop exigeante ? Mais elle n'acceptait plus d'être la seule à faire des efforts pour rendre une relation viable. En ce qui concernait ses rapports avec les hommes, elle avait tracé une ligne imaginaire entre ce qu'elle était prête à accepter et ce qu'elle refusait catégoriquement. Dès que cette ligne était franchie, elle préférait rompre.

Mais Matt King avait bouleversé ses certitudes sur l'existence et les hommes. Les recherches qu'elle avait effectuées sur sa famille n'avaient fait que lui confirmer ce qu'elle avait pressenti quand elle l'avait rencontré pour la première fois : les King étaient des hommes hors du commun.

Leur sentiment d'appartenance à leur clan était viscéral, ils veillaient jalousement sur ceux qu'ils aimaient et, avec une confiance formidable en eux-mêmes, ils allaient toujours de l'avant.

Matt possédait toutes ces qualités, et Nicole se demandait si c'était ce qui l'attirait si irrésistiblement vers lui. Baissant les yeux, elle contempla la main qu'il avait serrée. Si elle le lui permettait, la garderait-il dans la sienne pour toujours ? Ou elle-même ne représentait-elle qu'une passade à ses yeux ?

13.

— Nicky ! Tu es superbe !

Lorsqu'il entendit Peter Owen interpeller familièrement Nicole, Matt dut se retenir pour ne pas grincer des dents.

— Qui aurait pu croire que la petite rouquine toute maigre que j'ai connue deviendrait cette créature de rêve ? continua le producteur.

Puis, saisissant la jeune femme par les épaules, il lui planta un baiser sur chaque joue. Visiblement amusée par cette avalanche de compliments, Nicole éclata de rire avant de répliquer :

— Et qui aurait pu croire que *Peter Pan* deviendrait un jour un grand producteur ?

« Peter Pan » ? Matt ne put s'empêcher de trouver que ce surnom allait comme un gant au bonhomme : qu'était-il d'autre, après tout, qu'un homme d'une quarantaine d'années qui refusait obstinément de grandir ?

— Quelle soirée, n'est-ce pas ? continua Peter en se rengorgeant. Tu n'es pas de fière de moi ?

— Si ! Tu es vraiment le meilleur !

— C'est exactement l'impression que j'ai. Je pourrais soulever des montagnes…

« Si seulement tu pouvais disparaître dessous, par la même occasion ! » se dit Matt, que Peter commençait à prodigieusement agacer. Il ne comprenait pas que Nicole puisse témoigner à son vieil ami une telle bienveillance.

— Prends plutôt le temps de te reposer sur tes lauriers, lui conseilla-t-elle.

— Ah, tu as toujours été un ange, Nicky ! Et je suis content de te revoir. A présent, je t'abandonne, car je me dois aussi à mes autres invités, mais tu m'accorderas bien une danse, tout à l'heure, n'est-ce pas ?

« Il faudra me passer sur le corps d'abord », pensa Matt.

Peter, qui n'avait apparemment pas senti son hostilité, s'adressa ensuite à lui :

— Prends bien soin d'elle, Matt. Nicole est vraiment quelqu'un d'exceptionnel.

Matt se retint de rétorquer qu'il n'avait pas eu besoin de lui pour le remarquer. Se souvenant in extremis de ses bonnes manières, il mit de côté son animosité pour féliciter à son tour le producteur.

— La représentation était superbe ! Tu as vraiment fait un travail formidable.

— Je n'ai fait que mettre en valeur le talent de Gina, s'écria Peter, en adressant au passage un signe de la main à sa vedette.

Tandis qu'il suivait du regard le producteur qui se fondait parmi les invités, Matt regretta les pensées mesquines qu'il avait nourries à son égard. Il savait en effet que l'admiration et l'amitié qu'Owen vouait à Gina étaient sincères et dénuées d'arrière-pensées. Alex lui-même avait fini par apprécier le mentor de sa femme et Peter était le parrain de leur fille. Ce qui ne l'empêchait pas d'être un séducteur invétéré…

Mieux valait donc ne pas laisser ce don Juan tourner autour de Nicole, décréta Matt en jetant un regard à sa compagne. Elle n'avait pas tenté de le perdre dans la foule, comme il l'avait redouté, et il voulut voir dans ce fait un signe encourageant. Néanmoins, si elle était sagement restée auprès de lui, acceptant les petits fours que lui présentaient les serveurs, elle ne faisait pas pour autant mine d'engager la conversation. Elle semblait perdue dans ses pensées.

Devant le silence de la jeune femme, il s'était demandé si elle réfléchissait à ce qu'il lui avait dit avant de quitter le théâtre, ou si elle pensait à Peter Owen. Elle avait en effet suivi celui-ci du regard quand il s'était éloigné.

Matt songea que le producteur avait fait rire Nicole, et que c'était la première fois qu'il avait entendu son rire. Lui-même n'avait jamais provoqué une telle gaieté chez elle. Il était pourtant réputé parmi ses amis — et ses compagnes occasionnelles — pour son sens de l'humour. Le moins qu'on puisse dire, c'est qu'il le perdait totalement en présence de Nicole Redman.

En fait, il était toujours tendu quand ils se trouvaient ensemble… Et le reste du temps aussi, car elle continuait à occuper une grande partie de ses pensées. Pire, elle l'obsédait, et cette obsession n'avait pas diminué après qu'il eut couché avec elle. Au contraire, il brûlait encore davantage de découvrir qui elle était vraiment. Il voulait connaître ses pensées les plus intimes et ce qu'elle ressentait. Mais il ne fallait apparemment pas compter sur elle pour se livrer, aussi préféra-t-il prendre l'initiative.

— Vous aimez qu'on vous appelle Nicky ?

La jeune femme haussa les épaules d'un air indifférent.

— C'est ainsi qu'on m'appelait dans une autre vie, dit-elle sans le regarder.

— Mais cette époque est révolue, à présent ?

Matt se rendit compte qu'il aurait voulu que ce soit le cas. Cette fois, elle lui fit face et plongea son regard dans le sien.

Ses prunelles reflétaient une intensité qui l'inquiéta sans qu'il sache très bien pourquoi.

— Oui et non. Je ne crois pas, en effet, que nous puissions totalement renier notre passé. Après tout, nous sommes ce que l'accumulation des ans a fait de nous.

Un sourire mélancolique flotta sur ses lèvres sensuelles, et elle ajouta :

— Et parfois même davantage. Vous, par exemple...

— Moi ?

— En plus de votre propre expérience, vous portez en vous celle de vos ancêtres. Et vous devez vous montrer digne d'eux... L'ignoriez-vous ?

— Sottises ! Je suis moi-même, et c'est tout !

— Vous êtes un King. Tout comme Alex et Tony, dont vous invoquiez tout à l'heure l'exemple ; et je suis sûre que vous ressentez cette impression d'appartenance à votre clan, quoi que vous en disiez.

Cette négation de sa propre individualité lui fit froncer les sourcils, mais Matt dut reconnaître qu'il ressemblait effectivement à ses frères : ils avaient les mêmes parents, la même éducation. Et surtout, ils vivaient selon les mêmes principes. Des principes que leur grand-mère leur avait inculqués et qu'elle-même tenait de son père.

Leur conversation fut brièvement interrompue par un serveur qui leur présentait du champagne sur un plateau. Nicole prit une coupe qu'elle avala d'une traite, comme si elle mourait de soif. Matt, quant à lui, totalement absorbé par ses réflexions, but distraitement une gorgée du pétillant liquide.

Il pensait à ce qu'il savait de l'histoire de Nicole... Son héritage familial était certes très différent du sien. Sa mère était irlandaise et était tombée amoureuse d'Ollie Redman alors que celui-ci jouait dans un club de Dublin. Ils s'étaient mariés et elle l'avait suivi en Australie. Nicole n'avait donc pu compter sur le soutien de sa famille maternelle quand sa mère était morte. Ni sur celle de son père, au demeurant, puisque celui-ci avait été élevé dans un orphelinat. Matt s'était demandé, quand il lisait sa biographie, si ce n'était pas parce que Ollie Redman n'avait jamais eu de famille qu'il s'était montré un si piètre père.

Nicole affirmait qu'un individu était la somme des années qu'il avait accumulées — qu'en était-il d'elle-même ?

— Pourquoi avez-vous accepté de réaliser ce travail pour ma grand-mère ? voulut-il savoir.

Son instinct lui soufflait que la réponse à cette question pourrait peut-être l'éclairer. Nicole lui lança un petit sourire mi-figue mi-raisin.

— Je voulais découvrir quel effet ça faisait de vivre une existence si différente de la mienne.

Cette réponse le laissa d'abord perplexe. Elle se serait plongée dans l'histoire d'une famille aux racines profondes pour, en quelque sorte, vivre par procuration ? Sa perplexité se dissipa cependant quand une idée choquante lui traversa soudain l'esprit : la soif de découverte de la jeune femme l'avait-elle poussée à partager la plus absolue des intimités avec un des membres de cette famille ? Et l'avait-elle choisi, lui, parce qu'il était le seul qui ne soit pas marié ?

L'esprit en ébullition, il envisageait les différentes facettes de cette hypothèse. S'était-elle mis en tête de le séduire après leur première entrevue, dans son bureau ? Etait-elle venue à Kauri King Park dans le but de mettre son projet à exécution ? Se rappelant l'atmosphère sensuelle sur la terrasse, et le regard langoureux qu'il avait surpris dans les yeux de Nicole alors qu'il lui montrait les photos, Matt songea qu'elle aurait été prête à coucher avec lui ce jour-là. S'il n'avait pas mis en doute son honnêteté et blessé sa fierté...

Cet après-midi, à l'hôtel, elle n'avait hésité qu'une fraction de seconde avant de s'abandonner au désir qui la consumait. Il ne doutait pas un instant qu'elle y avait pris autant de plaisir que lui, et qu'elle était prête à recommencer l'expérience.

A présent, Nicole semblait examiner le contenu de sa coupe, la tête légèrement penchée. Sa chevelure flamboyante qui retombait sur ses épaules attira irrésistiblement le regard de Matt. Les boucles soyeuses caressaient la peau diaphane de son dos, dont sa robe révélait la cambrure sensuelle.

Matt sentit alors un désir puissant naître en lui. Il voulait cette femme ! Encore et encore.

Lorsqu'elle effleura rêveusement de l'index le bord de la coupe, il dut faire un effort surhumain pour ne pas lui arracher le verre des mains. Il aurait voulu la secouer, l'arracher à cette apathie en lui faisant avouer qu'elle le désirait autant qu'il la désirait. Ensuite, ils pourraient quitter cette réception et aller dans sa chambre.

Sur le point de mettre ses projets à exécution, Matt se rendit compte que Nicole avait levé les yeux vers lui, et il dut se rendre à l'évidence : ce n'était pas la passion qui éclairait son regard — seulement une infinie tristesse.

— Le charme facile que vous reprochez à mon père et à Peter ne reflète en fait que leur désir viscéral d'être aimés, même superficiellement. Ni l'un ni l'autre n'avaient de famille sur qui compter. Vous pouvez me croire : cela crée un vide dans l'existence, et leur besoin de séduire était justement une façon de combler ce vide.

Elle s'interrompit quelques secondes, quêtant son approbation avant de poursuivre.

— Vous ne pouvez pas avoir connu ce besoin, Matt. Vous venez d'une famille unie qui vous a transmis ses valeurs, et grâce à cet héritage, vous êtes beaucoup plus sûr de vous… C'est là toute la différence.

Matt dut admettre qu'elle avait marqué un point, car il était parfaitement conscient que l'assurance du soutien indéfectible de sa famille représentait un immense atout dans son existence. Ce qui ne l'empêchait pas de penser qu'il ne devait qu'à lui-même l'essentiel de ses succès. Il n'aurait jamais pu accepter de se reposer entièrement sur les siens.

— Cela explique peut-être la différence qu'il y a entre eux et moi, concéda-t-il à contrecœur. Mais reconnaissez que, quels que soient ses antécédents, chacun est responsable de ce qu'il fait de sa vie. C'est avant tout une question de choix.

Il se retint d'ajouter qu'elle avait choisi de coucher avec lui, mais la rougeur qui colora les joues de la jeune femme lui révéla qu'elle avait apparemment suivi le cours de ses pensées. Il se demanda s'il lui arrivait parfois de maudire son teint délicat qui trahissait si facilement ses émotions. Lui-même trouvait cette particularité plutôt charmante — voire excitante, comme en ce moment — et il dut une fois de plus se retenir de la toucher.

— Nos actes sont plus souvent dictés par les événements que vous ne semblez le penser. Et je ne suis pas sûre qu'on ait vraiment toujours le choix.

Elle s'interrompit, visiblement troublée par le désir brûlant qu'elle lisait dans les yeux fixés sur elle.

— Vous voulez parler d'une exigence irrésistible ?

— Oui, murmura-t-elle.

— Et quand deux personnes ressentent une même exigence, c'est encore plus irrésistible, conclut-il d'une voix grave. Dans ce cas, ne vaut-il pas mieux essayer de découvrir jusqu'où ce besoin peut nous mener ?

Parfaitement immobile, les lèvres légèrement entrouvertes sur un souffle imperceptible, Nicole continuait à le dévisager en silence. Il n'avait toutefois pas besoin qu'elle lui confirme ce qu'il ressentait par toutes les fibres de son corps : elle voulait la même chose que lui.

Cette certitude lui procura une euphorie grisante qui le poussait à agir. Apercevant un serveur qui passait près d'eux avec un plateau, il prit la coupe des mains de Nicole, puis se débarrassa de leurs deux verres sur le plateau. La jeune femme n'avait pas opposé de résistance. Ne voulant surtout pas lui donner le temps de se raviser, il s'empara de sa main, la serra dans la sienne.

— Suivez-moi !

Puis, sans attendre sa réponse, il se dirigea vers la sortie en l'entraînant à travers la foule. Nicole n'ayant pas tenté de lui retirer sa main, sa résolution s'en trouva renforcée. Une poussée d'adrénaline décupla l'énergie qui bouillonnait dans ses veines. Même l'idée de passer devant sa grand-mère et Rosita ne pouvait plus l'arrêter. Il se fichait désormais éperdument de ce qu'elles pourraient penser en les voyant quitter la réception ensemble.

Quand ils arrivèrent dans le couloir menant aux ascenseurs, il sentit que sa compagne tirait sur son bras.

— Où m'emmenez-vous ? s'écria-t-elle.

— Dans un endroit où nous serons seuls.

Ralentissant le pas, il lâcha la main de la jeune femme pour passer un bras autour de sa taille, avant de l'attirer contre lui. Ainsi enlacés, ils montèrent les quelques marches menant aux ascenseurs.

— Il ne faut pas ! protesta-t-elle faiblement. Je pense que…

— C'est ça, votre problème, coupa-t-il avec conviction. Vous avez perdu trop de temps à réfléchir depuis que nous nous sommes séparés, cet après-midi.

Lorsque les portes de l'ascenseur s'ouvrirent, il l'entraîna à l'intérieur et sélectionna l'étage où se trouvait sa chambre.

Aussitôt que la cabine commença à s'élever, il céda enfin à l'envie qui le tenaillait depuis des heures : prenant Nicole dans ses bras, il glissa une main dans sa chevelure et la regarda droit dans les yeux.

— Arrêtez donc de vous torturer l'esprit, alors que tout est si simple, murmura-t-il en savourant la douceur soyeuse sous ses doigts.

Puis il s'empara de sa bouche frémissante. Les lèvres de Nicole étaient douces comme du satin sous sa langue. Et leur goût l'enivrait bien plus que le champagne qu'il avait bu à la réception. La passion avec laquelle elle lui rendit son baiser éveilla un tel torrent de sensualité en lui que, quand l'ascenseur s'immobilisa, il n'avait plus qu'une hâte : entraîner la jeune femme dans son lit. Brûlant d'impatience, il se pencha pour la soulever dans ses bras et l'emmener vers sa chambre.

Le cœur battant à tout rompre, il remontait le couloir à grands pas, quand Nicole commença à se débattre pour échapper à son étreinte.

— Lâchez-moi immédiatement ! ordonna-t-elle d'une voix aiguë.

Interloqué par cette soudaine véhémence, Matt s'immobilisa aussitôt pour la dévisager. L'expression furieuse de la jeune femme lui apprit qu'elle ne plaisantait pas, aussi préféra-t-il la reposer par terre.

Dès qu'il l'eut relâchée, elle se dégagea d'un mouvement brusque, avant de reculer précipitamment vers l'ascenseur, les mains levées en un geste de protestation.

— Je ne suis pas un jouet dont vous pouvez disposer quand l'envie vous en prend ! lança-t-elle, furieuse.

La réaction de Nicole stupéfia totalement Matt, qui ne comprenait pas ce brusque revirement. Il n'avait tout de même pas rêvé la fougue avec laquelle elle avait répondu à son baiser !

— Attendez ! Vous…, commença-t-il.

— N'approchez pas ! Et ne vous avisez plus de me toucher !

Matt avait avancé d'un pas, mais le ton cinglant de la jeune femme le figea sur place. Il se sentait complètement impuissant face à cet éclat incompréhensible à ses yeux.

— Vous m'avez suivi de votre plein gré ! objecta-t-il.

— C'est vrai. Mais j'ai repris mes esprits maintenant, et je ne vous suivrai pas plus loin.

— Pourquoi ?

— Parce que vous me faites perdre la tête ! Et je ne veux pas que ce qui s'est passé cet après-midi se reproduise.

— Pourtant, c'était bon… Personnellement, j'ai beaucoup apprécié.

— C'est donc tout ce que vous voulez de moi, n'est-ce pas : du plaisir ?

— Il me semble que vous avez aussi pris le vôtre, rétorqua-t-il. Je ne vous ai pas entendue vous plaindre !

Elle rougit, mais ne se laissa pas démonter. Ses yeux pleins de mépris lançaient des éclairs quand elle déclara :

— Vous avez donc besoin de mes services pour vous procurer du plaisir, et en échange vous me rendrez la pareille ?

Cette description crue piqua Matt au vif. Voulant lui rendre la monnaie de sa pièce, il rétorqua sur le même ton :

— Ça me semble être une bonne idée.

— Ne comptez pas sur moi, alors ! Ce genre de relation ne m'intéresse pas.

Sur ces mots, Nicole pivota sur ses talons et appuya frénétiquement sur le bouton pour faire revenir l'ascenseur. Voyant qu'elle frémissait de rage contenue, Matt eut le sentiment angoissant qu'il venait de compromettre définitivement ses chances avec elle. Il ne comprenait toujours pas comment ils avaient pu en arriver là. Pourquoi la jeune femme régissaitelle ainsi ? Lui reprochait-elle encore sa franchise ? Pourtant, le désir qu'il éprouvait pour elle était partagé, il en était convaincu. Il y a quelques minutes à peine, ne s'était-elle pas lovée contre lui pour répondre avec ardeur à son baiser ?

— Que voulez-vous exactement ? lança-t-il.

— Je retourne à la réception.

Elle avait prononcé cette information d'une voix éteinte, le regard fixé sur le cadran indiquant l'arrivée imminente de l'ascenseur.

— Nicole !

Elle ne daigna pas le regarder.

— Ne partez pas sans avoir répondu à ma question, vous me devez bien ça.

— Laissez-moi tranquille, c'est tout ce que je vous demande.

En entendant la voix de la jeune femme trembler, Matt prit conscience qu'elle était complètement bouleversée et il se demanda si elle pleurait. Avant qu'il ait pu trouver un moyen pour la retenir, cependant, elle s'engouffra dans l'ascenseur qui venait d'arriver. En attendant qu'il reparte vers le rez-de-chaussée, elle garda la tête penchée en avant, ses cheveux formant un rideau qui cachait partiellement son visage. Matt eut toutefois le temps de remarquer qu'aucune rougeur ne teintait ses joues, pour une fois. Elle était pâle comme un linge.

Instinctivement, il bloqua la fermeture des portes. Il n'allait pas la laisser s'enfuir comme ça ! se dit-il en pénétrant à son tour dans la cabine.

— Je vous en prie, fichez-moi la paix ! le supplia-t-elle en tendant les bras devant elle dans un geste défensif, comme si elle redoutait qu'il ne l'enlace de force.

Voulant sans doute s'écarter au maximum de lui, elle s'était adossée à la paroi. Comme il l'avait redouté, elle pleurait.

Ses yeux étaient baignés de larmes, malgré ses efforts pour les retenir. Néanmoins, même s'il était bouleversé par le désarroi de la jeune femme, Matt ne voulut pas la quitter avant d'avoir obtenu une réponse.

— Quelle est donc cette chose que vous voulez, et qu'apparemment je suis incapable de vous donner ? demanda-t-il. J'ai besoin de le savoir.

— *Vous* avez besoin de le savoir... ? répéta-t-elle d'une voix étranglée.

Elle n'alla pas plus loin. Croisant les bras sur sa poitrine, elle baissa la tête. Matt pouvait voir qu'elle avait du mal à étouffer ses sanglots, mais, malgré l'envie qu'il avait d'apaiser sa détresse, il se retint de le faire, sachant qu'elle repousserait ses tentatives de réconfort.

Quand, enfin, elle releva fièrement le menton, l'expression indéchiffrable de son regard donna à Matt le sentiment qu'il ne pourrait jamais l'atteindre.

— Je veux être aimée, murmura-t-elle d'une voix voilée par l'émotion. Je veux partager mon existence avec quelqu'un qui se soucie de moi, qui prenne soin de moi. Ça me manque tellement ! J'ai l'impression que ma vie est vide...

Matt comprit que Nicole, avec une franchise bouleversante, venait de lui livrer son âme. Elle n'avait ni famille ni amis. Et s'il en croyait son livre, sa relation avec son père avait été à sens unique : tout l'amour et l'affection venaient d'elle, et elle n'avait presque rien reçu en échange.

Quand il s'arracha à ses réflexions pour fixer de nouveau son regard sur la jeune femme, l'expression fermée de celle-ci s'était transformée en une grimace moqueuse, et elle ajouta :

— Le sexe ne comblera jamais ce vide.

Matt eut honte soudain de s'être laissé aveugler par le désir qu'il éprouvait pour elle. Troublé par les réactions qu'elle provoquait en lui, il n'avait pas décelé la faille dans son armure.

— Je vous en prie, pouvez-vous me laisser, maintenant ? répéta-t-elle.

Matt ne voyait pas ce qu'il pouvait faire d'autre. Il sortit donc de l'ascenseur et regarda les portes se refermer sur Nicole. Il savait que, pour l'instant, rien de ce qu'il pourrait dire ne la ferait changer d'avis. Quant à ce qu'elle attendait d'un homme — l'amour, le mariage, une famille... —, il n'était certainement pas prêt à le lui donner. Pas avant quelques années.

Il avait beau se trouver des excuses pour justifier son comportement, il ne parvenait pas à chasser de son esprit l'image de cette jeune femme qu'il avait abandonnée à sa solitude. Et peu à peu, il commença à ressentir en lui cette sensation de vide qu'elle lui avait décrite.

14.

Poussant un soupir de satisfaction, Isabella King se tourna vers son amie.

— Quelle soirée merveilleuse, Rosita !

Les deux femmes étaient confortablement installées dans une alcôve située à l'extrémité de la salle de réception. L'éloignement de l'orchestre leur permettait de bavarder sans avoir à élever la voix. Sur la table devant elles, se trouvait un assortiment de petits fours sucrés que Rosita se faisait un devoir de goûter l'un après l'autre.

— Tout se passe à merveille, et le traiteur a fait du bon travail, approuva-t-elle. Mais mon petit doigt me dit que vous vous réjouissez surtout de l'absence de certaines personnes.

Admirant la perspicacité de la gouvernante, Isabella la gratifia d'un sourire radieux.

— Matteo a enfin pris l'initiative, déclara-t-elle. Il s'est spontanément proposé pour être le cavalier de Nicole ce soir. Et d'après ce que j'ai pu observer avant qu'ils quittent cette pièce, ils semblaient captivés par leur conversation.

— Ne craignez-vous pas que le travail de Nicole en pâtisse ? fit malicieusement remarquer Rosita. Quand Matteo s'est mis une idée en tête, il peut être très envahissant, et Nicole risque d'être distraite.

— Peu m'importe ! Je préférerais cent fois qu'elle s'occupe d'écrire elle-même une nouvelle page de l'histoire familiale. Il sera toujours temps, une fois que tout sera rentré dans l'ordre, de penser à son travail.

— Comment pouvez-vous être si sûre qu'ils s'entendront ?

— N'avez-vous pas remarqué la façon dont ils se dévoraient des yeux, quand Nicole descendait l'escalier de l'hôtel ?

— J'ai surtout remarqué qu'elle était d'une beauté à couper le souffle... N'importe quel homme aurait réagi comme Matteo.

— Non ! C'était autre chose, j'en suis certaine.

— Alors, espérons que vous avez raison, conclut Rosita.

Elle s'absorba quelques instants dans ses pensées, avant de poursuivre sur un ton navré :

— Nicole est terriblement seule. Et pour ne rien arranger, elle passe son temps à se consacrer à la vie d'autres gens, alors qu'elle devrait avoir sa propre vie, un mari, des enfants...

Rosita prêchait une convertie ! Non seulement Isabella partageait entièrement l'avis de son amie, mais elle souhaitait ardemment que ce mari soit Matteo. Son petit-fils et la jeune femme étaient faits l'un pour l'autre, elle en était convaincue. Nicole avait certes une personnalité très affirmée, mais son goût pour l'indépendance ne l'empêchait pas d'avoir de l'amour à revendre. Son sens de la loyauté était profondément ancré en elle, et Isabella savait qu'elle était le genre de femme qui ferait face à l'adversité aux côtés de son mari.

Balayant la salle du regard, elle aperçut ses deux autres petits-fils, avec leurs épouses. Tous les quatre semblaient tellement heureux qu'elle ne put s'empêcher de ressentir un pincement de fierté. En effet, elle les avait aidés à connaître ce bonheur. Si Matteo épousait Nicole...

Au moment même où elle pensait à elle, Isabella eut la surprise d'apercevoir la jeune femme qui revenait. Malheureusement, celle-ci était seule, ce qui la contraria terriblement. Où était donc passé Matteo ?

A présent, Nicole parcourait la salle du regard, comme si elle cherchait quelqu'un. Elle scruta un peu plus longuement la piste de danse, où se tenaient la plupart des invités.

Elle avait l'air nerveuse. Ses mains serraient fébrilement le sac de soirée qu'elle tenait contre sa taille. Isabella comprit immédiatement que quelque chose n'allait pas. Quel événement avait pu mettre Nicole dans cet état ? L'absence de son plus jeune petit-fils ne lui disait rien qui vaille. Décidant qu'il fallait absolument tenter de savoir ce qui s'était passé, elle posa la main sur le bras de sa gouvernante pour attirer son attention.

— Rosita, la pressa-t-elle. Il y a un problème. Trouvez un prétexte pour passer devant Nicole et arrangez-vous pour qu'elle regarde dans ma direction. Elle ne pourra pas faire semblant de ne pas me voir.

— Vous ne devriez pas vous mêler de ça, protesta Rosita.

— Allez-y, vite !

Isabella était trop impatiente pour perdre du temps à discuter le pour et le contre de sa décision avec son amie.

Rosita se leva à contrecœur et traversa la salle. Isabella profita de son attente pour se ressaisir et afficher un sourire bienveillant qui ne laisserait rien deviner de sa déception. Quand Rosita l'approcha, Nicole la salua d'un bref mouvement de la tête. L'habituelle complicité qui régnait entre elles semblait avoir totalement disparu. Isabella admira avec quelle adresse la gouvernante parvint à diriger le regard de la jeune femme vers la table où elle-même était assise. Ce fut un jeu d'enfant, ensuite, de lui faire signe de venir bavarder avec elle.

Nicole ne tenait sans doute pas à déplaire à son employeuse, même si elle était en train de se débattre dans des problèmes personnels ; elle accepta donc son invitation.

Si Isabella avait eu des scrupules à user de son autorité pour contraindre Nicole à la rejoindre, ils s'évanouirent aussitôt qu'elle vit la démarche traînante de la jeune femme ; celle-ci semblait profondément abattue. Sa résolution à découvrir ce qui la tourmentait en fut renforcée. Au théâtre, elle avait remarqué la tension qui régnait entre les deux jeunes gens, mais ils semblaient nettement plus détendus quand ils étaient arrivés ici, et en les voyant bavarder ensemble, Isabella avait pensé qu'ils avaient enfin trouvé un terrain d'entente.

Cette impression lui avait été confirmée quand elle les avait vus quitter la salle de réception. Combien de temps étaient-ils partis ? Vingt minutes, une demi-heure tout au plus. De toute évidence, ce bref laps de temps avait suffi pour mettre Nicole dans cet état. Supposant qu'ils s'étaient disputés, Isabella espéra qu'il n'était pas trop tard pour réparer les pots cassés. La soirée était déjà bien avancée, toutefois, et elle craignait que le temps ne lui manque. Au prix d'un effort de volonté, elle parvint à réprimer le sentiment d'impuissance qui commençait à la gagner.

— Madame King…

Sans se formaliser de son manque d'enthousiasme, Isabella invita la jeune femme à s'asseoir dans le fauteuil libre à côté d'elle.

— Venez donc me tenir un peu compagnie pendant que Rosita n'est pas là.

Par cette remarque, elle souhaitait la mettre à l'aise, en lui faisant comprendre qu'elle n'allait pas l'accaparer indéfiniment. Nicole se laissa tomber dans le fauteuil plus qu'elle ne s'y assit, et ne fit pas mine d'engager la conversation. Sa passivité ne fit qu'augmenter l'inquiétude d'Isabella.

— Matteo n'est pas avec vous ? s'enquit-elle d'un ton volontairement léger. Je pensais qu'il était votre chevalier servant, ce soir.

— Il était avec moi tout à l'heure, déclara Nicole en évitant son regard, mais je l'ai perdu de vue.

— J'avais pourtant cru vous voir quitter la réception ensemble…

— Nous nous sommes séparés quand je suis partie aux toilettes.

— Il aurait dû vous attendre. Quel manque de courtoisie ! s'exclama Isabella. Il faut absolument que je fasse la leçon à ce garçon !

— Je n'ai pas besoin qu'on s'occupe de moi, protesta Nicole en rougissant. Et je ne voudrais pas qu'il se sente obligé de le faire.

L'éclat de fierté blessée qui traversa le regard de la jeune femme raviva l'inquiétude d'Isabella, et elle décida d'aller droit au but.

— Vous n'appréciez apparemment pas mon petit-fils… Vous aurait-il offensée ?

— Pas du tout, balbutia Nicole, visiblement gênée par le tour que prenait la conversation. Au contraire, il s'est montré très prévenant, et je lui suis reconnaissante de m'avoir escortée pour aller au théâtre, puis ici. S'il est parti, c'est peut-être simplement qu'il voulait se coucher tôt… Vous n'avez pas besoin de vous inquiéter, madame King, je vais très bien.

« Ça m'étonnerait ! » se retint de répliquer Isabella.

— Tout de même, il n'aurait pas dû vous abandonner, insista-t-elle.

— Il ne m'a pas abandonnée, je vous assure ! Après tout, Matt est libre de faire ce qu'il veut, tout comme moi !

L'allusion de sa compagne à sa liberté irrita vivement Isabella, et elle ne se laissa pas attendrir par son expression désespérée. A son avis, les jeunes gens accordaient une importance démesurée à leur liberté. Et tout ça pour quoi, en fin de compte ? Matteo refusait de s'engager afin de pouvoir se consacrer librement à des activités dangereuses — comme le rafting ou le saut à l'élastique — qui, aux yeux d'Isabella, ne lui apportaient rien d'autre qu'une satisfaction immédiate. Quant à Nicole, à quoi lui servait sa liberté ? A écumer les bibliothèques !

Un sentiment de colère l'envahit, et elle aurait voulu les secouer tous les deux pour leur faire entrer un peu de plomb dans la cervelle. De toute évidence, ils étaient parvenus à un point de non-retour, et Isabella était trop contrariée désormais pour songer à faire preuve de tact.

— J'avais senti qu'il existait une animosité entre Matteo et vous, reprit-elle. Vous êtes revenue fâchée de votre visite à Kauri King Park, et depuis, vous avez soigneusement évité sa compagnie.

La sagacité et la franchise d'Isabella prirent visiblement Nicole au dépourvu. Elle s'abstint néanmoins de faire le moindre commentaire.

— J'espérais que vous profiteriez de l'occasion qui vous était donnée ce soir pour vous réconcilier. Si ce n'est pas le cas, je me sentirai obligée d'intervenir, car vous ne pouvez pas continuer à travailler dans ces conditions, cela doit être extrêmement pénible pour vous…

L'idée qu'Isabella s'immisce dans ses relations avec Matt fit complètement paniquer la jeune femme.

— Non ! Je vous assure que ce n'est rien, s'empressa-t-elle d'affirmer. Nous avons eu quelques divergences d'opinions, c'est vrai. Mais nous avons clarifié la situation, et vous n'avez plus besoin de vous faire de souci.

— Je peux donc considérer que les malentendus ont été dissipés, et que tout va bien ?

— Oui, confirma Nicole d'une voix ferme. Nous savons à présent tous les deux où nous en sommes.

Ce qui ne signifiait pas qu'ils s'étaient réconciliés ! songea Isabella avec une pointe de dépit. Elle se résigna pourtant à en rester là, car elle ne voulait pas bouleverser davantage sa compagne. Celle-ci, comme pour montrer qu'en ce qui la concernait, le sujet était clos, avait de toute façon concentré toute son attention sur les convives assemblés autour de la piste de danse.

Isabella, qui l'observait du coin de l'œil, vit soudain son visage s'éclairer d'un sourire ; en suivant son regard, elle aperçut Peter Owen qui faisait des signes à la jeune femme.

— Voulez-vous m'excuser ? demanda celle-ci en se levant aussitôt. Je n'ai pas encore eu le temps de bavarder avec Peter, et il m'avait promis de me faire danser.

— Je vous en prie, allez le rejoindre ! déclara Isabella en plaquant un sourire bienveillant sur ses lèvres. Et amusez-vous bien.

— Merci.

Tandis qu'elle regardait Nicole s'éloigner, Isabella se demanda où Matteo avait bien pu passer. Elle songeait que son petit-fils était vraiment fou de laisser cette femme lui échapper. Déjà, Peter Owen l'entraînait sur la piste de danse, et il semblait, quant à lui, parfaitement conscient de la chance qu'il avait de pouvoir la tenir dans ses bras.

Au souvenir de la conversation qu'elle venait d'avoir, un profond sentiment de découragement s'abattit sur Isabella. Qu'avait-elle appris, sinon que Nicole et Matt avaient trouvé un modus vivendi ? Elle n'était pas plus avancée ! D'autant que le fossé entre eux semblait plutôt s'être creusé. Si le comportement des deux jeunes gens n'avait pas été aussi incohérent, elle aurait même fini par douter de leur attirance mutuelle !

Il fallait absolument qu'elle s'entretienne avec Rosita, décida-t-elle.

Elle scrutait l'assemblée à la recherche de son amie quand son regard tomba sur Matteo. Son cœur fit un bond dans sa poitrine. Comme s'il avait été frappé par la foudre, celui-ci se tenait immobile, près de la porte, et son regard indéchiffrable fixait la piste de danse. Pour Isabella, il ne faisait aucun doute qu'il observait Peter et Nicole en train de danser ensemble.

Elle se demanda s'il hésitait devant la conduite à tenir. Même à cette distance, elle pouvait voir que le jeune homme serrait les poings. Il ne fit cependant pas mine de s'interposer, ni même de s'approcher des danseurs.

A sa vive satisfaction, elle aperçut soudain Rosita qui avait rejoint son petit-fils dans l'encadrement de la porte. D'un haussement de sourcil en direction de Matteo, elle fit comprendre à son amie qu'elle devait inciter celui-ci à l'accompagner jusqu'à leur table. La gouvernante leva les yeux au ciel avec une mimique désapprobatrice, mais elle n'en exécuta pas moins son ordre muet.

Quand Matt aperçut Rosita, un sourire chaleureux se peignit aussitôt sur ses traits. Ils échangèrent quelques propos, puis, Rosita ayant attiré l'attention du jeune homme vers sa table, Isabella put enfin leur faire signe de la rejoindre. Passant galamment le bras sous celui de Rosita, Matt se dirigea vers l'alcôve. Son air résigné — si semblable à celui de Nicole peu de temps auparavant — n'échappa pas à Isabella.

— *Nonna !* s'exclama-t-il. Tu as l'air de t'amuser ! Tu n'es pas encore fatiguée ?

— Pas le moins du monde ! Je n'ai pas souvent l'occasion de passer une soirée aussi merveilleuse, Matteo. Et à mon âge, avec le peu de temps qu'il me reste à vivre, je dois profiter de chaque minute… Mais viens donc t'asseoir avec nous.

Au tressaillement imperceptible qui parcourut sa mâchoire, Isabella comprit qu'il en coûtait à Matt de se plier à sa demande. Il prit néanmoins une chaise libre, et s'assit à côté d'elle. La vue des petits fours devant Rosita réussit à lui tirer un sourire.

— Joli assortiment de sucreries ! fit-il remarquer.

— Sers-toi, Matteo ! Les tartelettes sont délicieuses.

— Non, merci, je n'ai pas faim.

— Tu passes une agréable soirée ? voulut savoir Isabella.

— Oui. Je n'ai pas à me plaindre : le spectacle était fantastique, et la réception est à la hauteur.

— Tu as peut-être envie de danser ? J'espère que je ne te retiens pas ?

— J'ai tout mon temps, répondit-il négligemment.

Isabella décida d'enfoncer le clou. Feignant d'apercevoir seulement maintenant Peter et Nicole, elle s'écria :

— Tiens, Nicole danse avec Peter ! Elle doit être contente d'avoir retrouvé une vieille connaissance.

— Je n'en doute pas ! Qui se ressemble s'assemble.

Le ton dédaigneux de Matt stupéfia Isabella. Elle refusa toutefois de croire qu'il nourrissait des préjugés stériles à l'égard du passé de Nicole. Peut-être sous-entendait-il seulement que celle-ci était trop différente de lui, ou que leurs styles de vie étaient trop éloignés ?

— Je ne pense pas que Peter rappelle de bons souvenirs à Nicole, déclara-t-elle. Elle l'a connu à un moment très difficile pour elle. En outre, j'ai cru deviner qu'elle avait envie de rompre avec son passé. Elle m'a à plusieurs reprises confié qu'elle appréciait la vie à Port Douglas, au point d'envisager de s'y installer une fois notre livre terminé.

— D'ici là, elle aura changé d'avis, et tu verras qu'elle retournera à Sydney. Rien ne la retient ici.

— Qu'est-ce qui la retiendrait à Sydney ? objecta Isabella. Elle n'a pas de famille, pas de foyer. Elle pensait se reposer un peu, et peut-être se mettre à la rédaction d'un roman. Un écrivain peut travailler n'importe où.

— Elle ne supportera pas la chaleur. Au bout de six mois, elle en aura assez du climat.

— Beaucoup de gens apprécient le climat tropical ! Regarde Hannah : elle aussi vient de Sydney, et elle s'est très bien adaptée.

— Hannah n'a pas une peau de rousse, rétorqua Matt.

— Qu'est-ce que le teint de Nicole vient faire là-dedans ? voulut savoir Isabella, interloquée.

— De toute évidence, cette femme n'est pas faite pour vivre ici, affirma Matt en haussant dédaigneusement les épaules. Elle va tout le temps attraper des coups de soleil et des insolations.

— Tu te souviens de Samantha King, la femme de ton cousin Tommy ? Tu l'as rencontrée au mariage d'Alessandro : elle est rousse, et sa peau est aussi claire que celle de Nicole. Cela ne l'empêche pas de vivre dans l'Outback. Et le soleil du Kimberley est bien plus brûlant que le nôtre.

— Ça n'a rien à voir, elle a passé toute sa vie là-bas, elle est habituée.

— Et tu penses que Nicole Redman ne pourra pas s'y habituer ?

Comment faire comprendre à cette tête de mule que l'endroit où l'on vivait importait peu, pourvu qu'on s'y trouve avec la personne que l'on aime ? Isabella se souvint que sa propre mère avait traversé les océans pour suivre son père à l'autre bout du monde. Elle-même se serait installée dans l'Outback, si son mari était revenu de la guerre.

Isabella avait toutes les peines du monde à garder son calme devant tant de mauvaise foi, mais elle était bien décidée à ôter ses œillères à son petit-fils.

— Je croyais que tu avais lu son livre ? dit-elle à brûle-pourpoint.

— Je l'ai lu, en effet.

Son ton contrarié la surprit. Qu'y avait-il d'embarrassant à admettre ce fait ?

— Et tu n'as pas compris ce dont Nicole était capable ? Son enfance a été une incroyable succession d'épreuves, et elle les a surmontées avec une volonté qui force l'admiration. Je connais peu d'adultes qui auraient eu son courage et sa détermination. Elle a affronté des difficultés énormes et s'en est sortie…

— A mon avis, elle a surtout gâché des années de sa vie à s'occuper d'un homme qui n'en valait pas la peine, l'interrompit Matt.

Les yeux noirs qu'il dardait sur Isabella exprimaient un profond ressentiment, comme s'il lui en voulait de défendre la jeune femme.

— C'était son père ! N'aurais-tu pas secouru ton père, si tu en avais eu l'occasion ?

— Si j'avais été présent, j'aurais bravé le cyclone qui l'a emporté, mais…

— Les enfants n'ont pas la notion du sacrifice, surtout lorsqu'il s'agit de leurs parents. Ils ont un sens profond de la loyauté familiale et je considère personnellement que c'est une qualité admirable. Je suis très déçue que tu ne sembles pas partager mon opinion.

Elle vit que ce dernier reproche avait réussi à faire sortir Matt de ses gonds. La mâchoire crispée, il détourna la tête, comme s'il avait besoin de quelques secondes pour recouvrer son calme. Après avoir pris une profonde inspiration, il se leva, et fixa un regard intense sur Isabella.

— Je n'ai plus envie de parler de Nicole Redman, déclara-t-il catégoriquement. Je dois prendre l'avion de bonne heure demain matin, et je vous prierai donc de m'excuser. *Nonna*... Rosita... Bonne nuit.

Ensuite, il se dirigea à grands pas vers la porte, sans un regard pour la piste de danse, fermement décidé à ne pas montrer le moindre signe d'intérêt pour la jeune femme.

Isabella n'était cependant pas dupe : toutes ces justifications oiseuses n'étaient qu'un prétexte pour refuser d'admettre que Nicole lui plaisait. La cause de cette réticence, en revanche, lui échappait complètement...

— Il est en colère, fit remarquer Rosita.

— J'ai eu tort de m'emporter, déclara Isabella en poussant un soupir. Mais avouez qu'il m'a poussée à bout : je n'ai jamais entendu un pareil ramassis de sornettes !

— Je pense qu'il souffre, répliqua son amie. Même s'il refuse de l'admettre. Matteo a toujours été comme ça : il plaisante pour minimiser les choses qui le touchent.

— Il ne plaisantait pas, ce soir.

— Ce qui signifie qu'il souffre énormément !

— Si encore il était le seul ! s'exclama Isabella. Mais Nicole aussi est bouleversée. Je me demande s'ils parviendront à surmonter cette rancœur qui semble les habiter. Je me sens tellement impuissante ! De toute façon, en supposant que j'aie réussi à ébranler les certitudes de Matt, la balle est dans son camp, à présent. C'est lui qui doit convaincre Nicole de changer d'avis sur son compte. Lui seul le peut... S'il le veut vraiment.

15.

Incapable de détacher les yeux du test de grossesse, Nicole sentit une vague de panique qui commençait à l'envahir. Le doute n'était plus permis : elle était enceinte ! Qu'allait-elle faire, maintenant ?

Les mains tremblantes, elle fit disparaître les différents éléments du test dans un sac plastique. Elle ne voulait surtout pas que Rosita, ou quelqu'un d'autre, le découvre. Elle jetterait le tout dans une poubelle à l'extérieur du château... une fois qu'elle aurait rassemblé assez de courage pour mettre le nez hors de sa chambre.

Encore sous le choc, elle sortit en chancelant de la salle de bains et glissa le paquet dans son sac à main, avant de s'effondrer sur son lit. Enfouissant la tête sous les couvertures, elle tenta de réfléchir calmement. On était dimanche. Elle n'était pas supposée travailler aujourd'hui. Personne ne s'inquiéterait si elle était en retard pour le petit déjeuner. En fait, elle pouvait même profiter de son jour de congé pour passer la journée dans sa chambre. Ces derniers temps elle n'avait pas très faim, et la simple idée de manger lui donnait la nausée, surtout le matin.

A présent, elle savait pourquoi. C'était sa punition pour avoir couché avec Matt King.

Elle n'avait même pas la satisfaction — bien vaine, en réalité — de pouvoir rejeter la faute sur son amant, puisqu'elle était aussi responsable que lui de ce qui s'était passé. « Irresponsable » aurait d'ailleurs été un terme plus approprié. Comment avait-elle pu commettre une telle folie, sans penser une seconde qu'elle pourrait tomber enceinte ? Elle avait certes fini par se poser la question, une fois la réception terminée, mais c'était tard dans la nuit. Après un rapide calcul, elle avait estimé que le risque de grossesse était infime. Elle avait même pensé en son for intérieur que ce prix à payer pour son moment d'égarement aurait été par trop élevé. La confusion qui régnait dans son esprit lui semblait déjà un châtiment suffisant.

Ensuite, elle avait trouvé des explications rationnelles à son retard de règles : la chaleur, le stress — tout, sauf la raison la plus évidente. Désormais, cependant, il n'était plus question de se voiler la face. Le test était catégorique : elle attendait un bébé, et elle devait maintenant envisager l'avenir… avec son enfant.

Les belles paroles de Matt King sur les responsabilités d'un père résonnèrent distinctement à son esprit, et elle se demanda si elle devait l'avertir. Voulait-elle maintenir des liens pour le reste de sa vie avec un homme qui ne s'intéressait à elle que sur le plan sexuel ? Un homme qui la projetait dans un maelström d'émotions chaque fois qu'elle le voyait ?

Elle venait encore d'en faire l'expérience, quelques jours auparavant, quand Matt était passé au château pour prendre le thé avec sa grand-mère. Il était arrivé en coup de vent dans la loggia où Nicole se tenait en compagnie de son employeuse.

— J'ai laissé une corbeille de fruits exotiques dans la cuisine, annonça-t-il à la cantonade.

Puis, comme si de rien n'était, il s'était tourné vers elle, et lui avait adressé un sourire éblouissant :

— J'ai apporté quelques mangoustans spécialement pour vous, ajouta-t-il. Ce sont les fruits que vous préférez, si mes souvenirs sont bons ?

— Oui, parvint-elle à articuler. Merci.

A son allusion flagrante, elle avait eu toutes les peines du monde à réprimer la rougeur qui lui montait aux joues.

Heureusement, il avait ensuite bavardé avec Isabella, ce qui lui laissa le temps de se ressaisir. Elle n'y parvint pas tout à fait, cependant, car la présence de Matt était bien trop troublante. Son esprit en ébullition essayait vainement de comprendre ce qu'il venait faire là. L'allusion aux fruits laissait penser qu'il avait toujours envie de coucher avec elle. Etait-il venu se rendre compte s'il avait une chance ?

Aussi longtemps qu'elle l'avait pu, Nicole avait gardé les yeux baissés. Le son de la voix grave de Matt la perturbait déjà suffisamment, pour qu'elle ait en plus à subir la fixité de son regard. Lorsqu'il lui posa des questions sur l'avancement de ses travaux, elle fut pourtant obligée de lever la tête pour lui répondre. Au prix d'un intense effort de concentration, elle parvint à lui donner des réponses cohérentes. Il se montra tout à fait charmant et elle n'eut pas à subir de commentaires désobligeants. Elle s'était néanmoins sentie complètement épuisée après son départ, alors que sa visite n'avait pas dépassé une demi-heure.

Non, décréta Nicole, elle ne voulait plus rien avoir à faire avec Matt — même si celui-ci avait apparemment décidé de déployer des trésors d'amabilité à son égard. L'attirance sexuelle qu'elle ressentait pour lui était bien trop éprouvante nerveusement. Mais même si ça n'avait pas été le cas, sa fierté s'y serait opposée : elle ne voulait pas, en effet, que son sens du devoir pousse Matt King à lui proposer le mariage uniquement parce qu'elle attendait son enfant, alors qu'elle savait parfaitement qu'il ne l'aimait pas. Ç'aurait été trop humiliant.

Et que lui importait l'indifférence de Matt, désormais, puisqu'elle allait avoir un enfant à aimer ? Cette pensée réconfortante mit du baume sur son cœur meurtri, et elle commença à envisager avec un peu plus de sérénité ce que serait sa vie avec un bébé.

Quatre heures plus tard, Nicole se sentait nettement mieux. Elle s'était promenée jusqu'à la marina, où elle s'était débarrassée du sac plastique dans une poubelle publique, avant de flâner sur les quais en regardant les bateaux. Puis elle avait parcouru les étals du marché d'Anzac Park, s'attardant devant ceux qui proposaient des vêtements ou des jouets pour enfants. Finalement, elle avait acheté un cadeau pour le bébé de Hannah. Jugeant préférable d'être installée quelque part pour commencer à constituer le trousseau de son enfant, elle avait résisté à l'impulsion d'acheter. Pour l'instant, bien sûr, elle n'avait pas encore décidé où elle irait. Sa seule certitude était qu'elle ne resterait pas à Port Douglas.

Elle se sentait incapable de vivre dans la proximité de Matt King.

Evidemment, elle aimait beaucoup les autres membres de la famille et elle les regretterait, après son départ. Ces derniers temps, elle n'avait pas beaucoup vu Alex et Gina, ceux-ci ayant loué une maison à Brisbane pour toute la durée des représentations. Alex ne se rendait à Port Douglas que lorsque son travail l'exigeait. Leur absence pesait beaucoup à Isabella — surtout celle des enfants —, et Nicole s'était réjouie d'apprendre que Tony et Hannah partageraient leur déjeuner dominical, car elle savait que leur présence remonterait le moral de la vieille dame.

D'ordinaire, Nicole appréciait elle aussi la compagnie du jeune couple. Leur bonheur faisait toujours plaisir à voir. Mais aujourd'hui, alors qu'ils étaient réunis autour de la table dans la loggia, cette vision l'emplit de mélancolie. Elle ne pouvait s'empêcher de penser, en les regardant, que c'était ainsi que les choses devaient être : un homme et une femme profondément épris l'un de l'autre, qui se mariaient et faisaient un enfant. Hannah était resplendissante et Nicole se demandait si la jeune femme avait souffert de nausées matinales au début de sa grossesse. Evidemment, elle n'osa pas formuler sa question à haute voix.

— Matt !

L'exclamation surprise de Tony la tira immédiatement de sa rêverie morose, et son cœur se mit à battre la chamade. Une fraction de seconde, elle espéra avoir mal entendu, mais cet espoir fut anéanti quand elle aperçut Matt King, qui se dirigeait vers leur table en brandissant joyeusement des couverts.

— Je viens me joindre à vous pour partager votre festin, annonça-t-il. Rosita m'a prévenu que vous étiez dehors.

— Nous voulions profiter de la brise qui souffle sur la terrasse, déclara Hannah.

— Ça me semble une excellente idée ! dit Matt. Je vais pousser un peu ta chaise, Hannah, afin de pouvoir m'asseoir près de *nonna*.

Il s'était tourné vers Isabella pour quêter son approbation.

— Si tu n'y vois pas d'inconvénient, bien sûr, continua-t-il.

— Tu es toujours le bienvenu, Matteo, répliqua celle-ci en lui dédiant un sourire radieux.

— Nicole! Comment allez-vous ?

— Très bien, merci.

Nicole ne sut pas si elle était parvenue à prononcer ces quelques mots de façon intelligible, car elle se remettait péniblement de son choc. Tandis que Matt prenait place à côté de sa grand-mère, elle réalisa soudain qu'elle allait passer tout un repas en face de l'homme dont elle portait l'enfant, et qui l'ignorait.

A son grand soulagement, elle n'eut pas à faire les frais de la conversation, car Tony et Matt se lancèrent aussitôt dans une discussion sur la situation du tourisme. La saison des pluies touchait à sa fin, et les visiteurs commençaient à affluer en grand nombre à Port Douglas. Tout le monde voulait profiter du beau temps pour se rendre sur la Grande Barrière de Corail, ou découvrir les autres splendeurs naturelles du nord du Queensland.

Ils furent interrompus par l'arrivée de Rosita, poussant devant elle un chariot chargé de plusieurs petits saladiers et d'un plat à poissons. Quand la gouvernante plaça le plat devant Tony pour qu'il découpe le poisson, les effluves de la sauce aux herbes qui le nappait vinrent chatouiller les narines de Nicole, et lui soulevèrent aussitôt le cœur. Elle réussit toutefois à faire passer ce léger malaise en buvant quelques gorgées de jus de fruits glacé.

— Une petite portion me suffira, merci, indiqua-t-elle à Tony qui s'apprêtait à la servir.

— Ne vous privez pas pour moi ! Il y en aura largement assez pour tout le monde.

Ne pouvant pas deviner la cause de son manque d'appétit, Matt s'était visiblement mépris sur son intention. Il avait appuyé sa protestation d'un sourire moqueur, et Nicole ne put s'empêcher de songer qu'il était incroyablement séduisant

— son cœur se serrait chaque fois qu'elle posait les yeux sur lui —, et elle aurait voulu qu'il cesse de la fixer ainsi.

— Je n'ai pas très faim, répondit-elle.

— Mais vous n'avez déjà rien mangé ce matin ! s'exclama Isabella.

— J'ai été sur le marché…

L'esprit en alerte, Nicole cherchait activement une explication plausible à fournir pour détourner l'attention de son manque d'appétit, quand une nouvelle intervention de Matt la tira de cette situation embarrassante.

— Et vous avez succombé aux fameux sandwichs aux crevettes, conclut-il à sa place.

Légèrement abasourdie, Nicole se contenta d'acquiescer. Selon toute évidence, Matt avait décidé de se montrer particulièrement charmant à son égard. Comptait-il la séduire ? A en juger par la sensation de faiblesse qui irradiait dans tout son corps, il avait au moins réussi à la troubler.

A la mention du marché, Hannah s'était baissée pour s'emparer d'un sac posé par terre à côté de sa chaise.

— Regarde ce que Nicole a acheté pour le bébé, Matt ! s'écria-t-elle en brandissant une chenille en peluche multicolore. C'est adorable, n'est-ce pas ?

— Absolument, approuva celui-ci en lui retournant son sourire. Je peux déjà imaginer les petites mains qui vont essayer d'attraper toutes ces pattes.

La joie rayonnante de sa belle-sœur enchantait visiblement Matt. Malgré elle, Nicole pensa aux petites mains de son propre bébé, qui ne connaîtrait jamais son père, ne jouerait jamais avec lui, et des larmes commencèrent à lui picoter les yeux.

— C'est un joli cadeau, Nicole, déclara-t-il soudain en se tournant vers elle.

Le compliment, ainsi que le regard chaleureux dont il l'enveloppa, faillit la faire fondre. Un sursaut de révolte la fit toutefois réagir à temps. Ne lui avait-elle pas clairement fait comprendre qu'une affaire sans lendemain ne l'intéressait pas ? Il n'espérait tout de même pas la faire changer d'avis ?

Afin de calmer l'irritation qui commençait à la gagner, Nicole reporta son attention sur les plats posés devant elle. Pour tenter de neutraliser les effluves de poisson et d'herbes, elle se servit de différentes salades. Dans son empressement, elle ne prit cependant pas garde aux quantités, et un simple regard sur son assiette pleine suffit à raviver sa nausée. Ne souhaitant néanmoins pas se faire remarquer davantage, elle commença à manger. Malheureusement, Matt s'obstina à vouloir engager la conversation.

— Vous avez goûté les glaces aux fruits exotiques, sur le marché d'Anzac Park ?

— Non.

— Quel dommage ! Les fruits qui servent à leur élaboration viennent de ma plantation. Elles sont délicieuses, et très rafraîchissantes.

Il ne s'était pas laissé intimider par sa réponse laconique ! songea-t-elle, exaspérée. Quand allait-il donc comprendre qu'elle ne voulait pas lui parler ? Elle aurait d'ailleurs volontiers ignoré les tentatives du jeune homme pour faire la conversation, mais la présence d'Isabella l'obligeait à faire preuve d'un minimum de tact. Au prix d'un effort considérable, elle parvint à afficher un léger sourire pour lui répondre.

— Je vous crois sur parole ! Il suffisait de voir les clients faire la queue devant le stand pour s'en rendre compte.

Ses yeux fixèrent à peine ceux de Matt, mais lui seul s'en aperçut. Espérant qu'il comprendrait le message et qu'il la laisserait tranquille, elle reporta son attention sur le contenu de son assiette. En observant Matt du coin de l'œil, tandis qu'il poursuivait la conversation avec Isabella, Nicole se demandait cependant s'il avait pris au sérieux les avertissements muets qu'elle lui avait lancés. En effet, il ne semblait pas se préoccuper de la tension qu'il éveillait en elle. Peut-être pensait-il qu'elle se calmerait s'il l'ignorait ?

La nervosité de Nicole ne diminua pas, cependant. D'autant qu'elle commençait à y voir clair dans le jeu de Matt. Contrairement aux apparences, il avait soigneusement planifié sa venue, elle en était sûre. En arrivant à l'improviste au moment même où l'on se mettait à table, il savait qu'elle ne pourrait pas s'éclipser. Quelle détermination impressionnante ! songea Nicole. Matt était fermement décidé à la faire plier, sans lui laisser d'échappatoire.

Son mal de tête et sa nausée avaient repris de plus belle. Elle but de nouveau du jus de fruits, mais en vain. L'accumulation d'événements moralement éprouvants — comme la découverte de sa grossesse et l'arrivée impromptue de Matt — eut finalement raison de ses dernières forces. N'y tenant plus, elle posa sa serviette et repoussa sa chaise pour se lever.

— Je vous prie de m'excuser, déclara-t-elle en s'adressant à Isabella King. Je ne me sens pas très bien... J'ai dû marcher trop longtemps au soleil, ce matin.

— Allez vous reposer, ma chère, je viendrai prendre de vos nouvelles.

— Merci.

— J'espère que ce ne sont pas les crevettes, déclara Hannah. La nourriture à emporter peut parfois réserver des surprises désagréables.

— Peut-être, approuva Nicole faiblement en faisant quelques pas.

— A moins que vous n'ayez attrapé une insolation, intervint Matt. Vous avez de la fièvre ?

— J'ai seulement mal à la tête.

Nicole ne pouvait pas leur reprocher leur sollicitude, mais elle aurait vraiment voulu quitter la loggia au plus vite. Elle n'avait pas encore contourné la table qu'elle entendit le raclement d'une chaise qu'on repoussait sur le carrelage.

— Je vous accompagne, déclara Matt.

Pas de chance, décidément ! Il fallait justement que ce soit l'homme qu'elle essayait à tout prix d'éviter qui se propose de l'accompagner ! Dans un ultime sursaut d'énergie, elle fit volte-face pour lui demander de la laisser tranquille. Ce mouvement brusque ne fit qu'aggraver son vertige, et lorsqu'elle se retrouva nez à nez avec Matt, sa vue se brouilla, puis elle ne se souvint plus de rien.

L'instant suivant, elle sentit le torse puissant de Matt contre sa joue, et elle comprit qu'il la retenait pour éviter qu'elle ne tombe. Puis, il l'aida à s'asseoir sur une chaise, et l'incita à poser la tête sur les genoux. Le bras passé autour de son épaule, il murmurait d'une voix grave à son oreille :

— Respirez profondément.

Incapable de se rappeler si elle s'était évanouie, Nicole sentit le rouge de l'embarras lui monter au front à l'idée que tout le monde avait les yeux braqués sur elle. Confuse de s'être ainsi donnée en spectacle, elle tenta de se ressaisir.

— Je vais bien…

— Vous avez eu un malaise, attendez un peu avant de vous lever, lui conseilla Matt.

Il posa la main sur son front moite.

— On dirait que vous n'avez pas de fièvre.

— Je devrais peut-être appeler un médecin ? demanda Isabella, l'air inquiet.

— Ce n'est pas la peine, s'empressa de déclarer Nicole. J'ai seulement besoin de m'allonger un peu.

Elle ne voulait surtout pas qu'un médecin apprenne à la vieille dame la cause véritable de ce malaise !

— Je vais l'emmener dans sa chambre, *nonna*, intervint Matt. Et je m'assurerai qu'elle va bien avant de la laisser.

— Ce serait très gentil de ta part, déclara Isabella. Pendant ce temps, j'irai voir Rosita : elle connaît des remèdes pour tous les maux.

Et, avant que Nicole ait eu le temps de protester, Matt l'avait soulevée dans ses bras. Lorsque Tony prit les devants pour tenir la porte à son frère, elle se rendit compte qu'il était inutile de résister à tant de bonne volonté, et elle cessa de lutter. Elle refusa cependant de nouer ses bras autour du cou de Matt, ce qui aurait certes facilité sa tâche, mais qui l'aurait obligée, elle, à se serrer davantage contre lui.

Tony ne les suivit pas à l'intérieur et Isabella les quitta en bas de l'escalier, pour bifurquer vers la cuisine. Aussitôt qu'ils furent hors de portée de voix, Nicole intima l'ordre à Matt de la laisser descendre.

— Je peux très bien me débrouiller seule.

— Il ne s'agit que de quelques marches, ce n'est rien, la rassura-t-il.

Ce n'était pas pour lui qu'elle s'inquiétait ! Mais elle n'allait tout de même pas lui avouer que le parfum de la peau au creux de son cou lui montait à la tête, et qu'elle s'en voulait terriblement de sa propre faiblesse. Elle préféra donc passer sa colère sur lui.

— Pourquoi faites-vous ça ? demanda-t-elle sèchement.

— Vous avez besoin d'aide.

— Je vous ai déjà dit que je ne voulais pas que vous me portiez.

— Vous ne me soupçonnez tout de même pas de penser à vous entraîner dans votre chambre dans le but de vous séduire, alors que vous êtes visiblement malade ?

Elle ne savait plus ce qu'elle devait penser, aurait-elle voulu crier, mais elle était trop lasse.

— De toute façon, je ne pense pas avoir une chance de vous « séduire », n'est-ce pas, Nicole ?

— Je n'ai pas changé d'avis !

— Je m'en doutais.

— Pourquoi êtes-vous venu, dans ce cas ?

— Vous vouliez que je ne remette plus les pieds au château ?

— Non ! Je ne veux pas vous empêcher de voir votre grand-mère, mais...

— Vous préféreriez que je vous prévienne à l'avance de mon arrivée, pour que vous puissiez m'éviter ?

Nicole acquiesça silencieusement. A quoi bon nier l'effet dévastateur que chacune des visites de Matt avait sur elle ? De toute façon, il le savait déjà.

— J'ai compris, continua-t-il calmement. Et je vous promets que vous n'aurez plus à vous plaindre de moi lors de mes prochaines visites.

Pas le moins du monde essoufflé, il était parvenu en haut des marches. Il s'apprêtait apparemment à se diriger vers le couloir menant aux chambres d'amis, mais Nicole lui redemanda de la lâcher.

— C'est bon, maintenant, le vertige est passé.

— Quelle porte ? insista-t-il.

— Comment faut-il vous l'expliquer ? Je ne veux pas que vous entriez dans ma chambre !

Matt s'immobilisa et Nicole sentit la poitrine de celui-ci se soulever tandis qu'il prenait une profonde inspiration. Puis il la déposa doucement par terre, gardant toujours un bras autour de ses épaules, comme s'il craignait qu'elle s'évanouisse de nouveau.

— Je voulais seulement m'assurer que vous alliez bien, Nicole, déclara-t-il d'une voix très calme. Je n'avais pas l'intention de profiter de la situation.

— Merci. Je peux y aller, maintenant ?

Elle avait parlé précipitamment, espérant qu'il ne se rendrait pas compte que des larmes lui brouillaient la vue.

— Bien sûr, murmura-t-il en ôtant lentement les mains de ses épaules.

En s'en allant, Nicole était d'autant plus consciente de sa démarche mal assurée qu'elle pouvait sentir que Matt la suivait du regard. Les larmes l'aveuglaient à présent et un intense soulagement l'envahit quand elle put enfin s'engouffrer dans sa chambre. Une fois à l'intérieur, elle s'adossa à la porte, puis laissa libre cours à la violente émotion qui la submergeait.

« Je voulais m'assurer que vous alliez bien » ! Les paroles de Matt résonnaient dans son cœur, comme en écho aux mots qu'elle lui avait lancés dans l'ascenseur à Brisbane. A l'époque, elle lui avait dit ce qu'elle attendait d'un homme : qu'il prenne soin d'elle.

Matt avait-il prononcé ces paroles par hasard ? Parce qu'elle paraissait si mal en point qu'il s'était senti obligé de la réconforter ? Il avait pourtant eu l'air sincère.

16.

Assez tergiversé ! décréta Isabella King. De toute façon, si elle faisait fausse route, Matt s'empresserait de la détromper. Si elle avait raison, en revanche, mieux valait agir rapidement, avant que Nicole ne reparte pour Sydney. Une fois là-bas, en effet, celle-ci pourrait facilement disparaître sans laisser de traces.

Ayant une confiance absolue dans l'honnêteté de la jeune femme, Isabella ne s'inquiétait pas pour son livre. Les recherches préliminaires étaient terminées et les données nécessaires avaient été enregistrées par Nicole. Celle-ci lui avait affirmé qu'elle pourrait terminer sa rédaction n'importe où, maintenant que le travail de documentation était effectué.

Nicole Redman allait quitter Port Douglas, et Isabella pressentait que sa décision était irrévocable. Matteo était le seul qui pouvait la retenir… A condition, bien sûr, qu'il ait de bonnes raisons de le faire, et pour cela il devait avoir toutes les cartes en main.

L'esprit en ébullition, Isabella pénétra au siège de King Tours, bien décidée à avoir une conversation sérieuse avec le benjamin de ses petits-fils.

*
* *

La présence de la vieille dame en ces lieux était si exceptionnelle que le garçon assis derrière la réception en resta bouche bée.

— Madame King ! s'exclama-t-il quand il fut remis de sa surprise.

— Mon petit-fils est-il dans son bureau ?

C'était une question de pure forme, Isabella sachant parfaitement qu'il devait s'y trouver aujourd'hui, puisqu'on était vendredi.

— Oui, madame.

— Parfait ! Inutile de m'annoncer.

Elle passa devant le jeune garçon éberlué, et entra directement dans le bureau de la direction.

Le visage de Matt, quand il leva la tête de ses papiers pour voir qui était son visiteur, n'était pas loin d'arborer la même expression ébahie que celle de son réceptionniste.

— *Nonna !* Que me vaut le plaisir de ta visite ?

A l'instant où elle avait passé la porte, Isabella s'était demandé si elle ne s'apprêtait pas à commettre une erreur. S'accordant quelques secondes de réflexion supplémentaires, elle se dirigea à pas plus mesurés vers le fauteuil qui faisait face au bureau pour finalement s'y asseoir.

Visiblement surpris par son arrivée inopinée et le calme soudain qui l'avait suivie, Matt se leva à moitié de sa chaise.

— Tout va bien ?

Isabella leva la main dans un geste d'apaisement.

— Je suis seulement venue pour m'entretenir avec toi.

— A quel sujet ? demanda-t-il en se rasseyant.

— Nous sommes vendredi, alors je me demandais si tu comptais passer me voir cet après-midi.

De plus en plus intrigué, Matt leva un sourcil interrogateur.

— J'avais effectivement prévu de passer, acquiesça-t-il. Pourquoi ?

— Nicole nous quitte. Elle prend la route pour Sydney demain.

— Tu veux dire qu'elle rompt votre contrat ?

— Non, elle écrira l'histoire de la famille, comme prévu. Mais pas à King's Castle.

— Elle t'a donné une raison ?

— Elle dit que la chaleur commence à devenir trop pénible pour elle. C'est vrai qu'elle n'est pas dans son assiette, depuis une semaine.

— Je t'avais bien dit qu'elle ne supporterait pas ce climat !

— Je n'en crois pas un mot ! s'exclama Isabella dédaigneusement. Nicole vient de passer trois mois ici, et qui plus est, durant la période la plus chaude, sans avoir été une seule fois incommodée par la chaleur. Jusqu'à très récemment.

— Dimanche dernier…

— Oui, elle n'allait vraiment pas bien.

— Et depuis ?

— Je ne la reconnais plus.

— Peut-être que le climat a fini par la fatiguer, à la longue ?

— Ça ne tient pas debout.

— Alors, quel est ton avis ? demanda-t-il finalement en la fixant de ses yeux perçants. Et pourquoi viens-tu m'en parler ?

— Je suis peut-être âgée, mais je ne suis pas aveugle, Matteo. Il s'est passé quelque chose entre toi et Nicole. Elle est nerveuse chaque fois que tu es dans les parages, et je ne pense pas qu'elle te soit indifférente.

Il ne s'était apparemment pas attendu que la conversation prenne ce tour.

— Tu viens me reprocher son départ ? demanda-t-il en la défiant du regard.

— Y serais-tu pour quelque chose ?

Matt avait levé les mains au ciel dans un geste d'impatience.

— J'ai essayé par tous les moyens de la rendre plus à l'aise avec moi ! Si elle ne veut pas accepter que je…

— Peut-être qu'elle ne *peut* pas ! l'interrompit Isabella. Rosita dit que Nicole est enceinte.

— Quoi ?

Isabella vit immédiatement que sa surprise n'était pas feinte. Ne sachant toujours pas si Matt avait quelque chose à voir avec cette grossesse, elle fut de nouveau saisie d'un scrupule, et elle observa attentivement son petit-fils pour tenter de découvrir ce qu'il en était.

Après avoir donné tous les signes de l'incrédulité, le visage de ce dernier se ferma brusquement, comme si le jeune homme venait de découvrir une vérité désagréable. Enfin, il lui darda un regard intense.

— Comment Rosita est-elle au courant ?

— Elle prétend qu'elle le voit dans les yeux, répondit Isabella en haussant les épaules. Et elle ne s'est jamais trompée. Elle m'a avertie que Hannah était enceinte des semaines avant que Tony ne me l'annonce. Je ne mettrais pas en doute le jugement de Rosita, si j'étais toi. Et Nicole, bien qu'elle nous cache soigneusement ses nausées matinales…

— Elle a été malade tous les matins ?

— Depuis plus d'une semaine.

— Ç'a commencé avant dimanche ?

— Oui.

Visiblement furieux, Matt tapa du poing sur la table, puis se leva brusquement.

— Elle savait !

Une agitation fébrile s'empara de lui tandis qu'il commençait à faire les cent pas dans le bureau.

— Elle savait ! Pourquoi ne m'a-t-elle rien dit, alors qu'elle en a eu l'occasion ?

Cette explosion de colère ayant levé ses derniers doutes, Isabella prit une profonde inspiration avant de s'adresser de nouveau à son petit-fils.

— Si Nicole ne t'en a pas parlé, c'est peut-être qu'elle pensait avoir de bonnes raisons pour ne pas le faire, Matteo.

— Mais... Je lui ai pourtant dit ce que je pensais du rôle d'un père !

Son visage exprimait une totale incompréhension.

— Ce que *tu* en penses ? Tu devrais peut-être te demander ce que Nicole en pense !

— C'est mon enfant, *nonna !* Elle ne peut pas agir comme s'il n'avait pas de père.

— Si tu veux avoir la moindre chance de connaître ton enfant, je te conseille de mettre de l'eau dans ton vin, Matteo. N'oublie pas que, dans cette affaire, Nicole a tous les droits. Et si elle part demain, il est peu probable que tu verras un jour ton enfant. Ce n'est pas le moment d'agir de façon irréfléchie, ni de se mettre en colère. Au contraire, tu vas devoir faire preuve d'attention, de tendresse et de compréhension.

Satisfaite d'avoir réussi à trouver les mots justes pour calmer la fougue de son petit-fils, Isabella se leva. Matt ne fit pas un geste pour l'accompagner à la porte. Elle l'observa une dernière fois : tout son corps était tendu, trahissant son puissant besoin d'agir. Isabella avait remarqué que Nicole aussi se tendait chaque fois qu'on évoquait Matt en sa présence, et elle se demanda si cette réaction épidermique si semblable n'était pas, justement, la cause de tous leurs problèmes ? Pourquoi ne cherchaient-ils pas à mieux se comprendre, ces deux-là, au lieu de s'affronter constamment ?

Songeant qu'elle avait fait tout ce qui était en son pouvoir, Isabella secoua la tête avec fatalisme.

— Ce ne sont ni la chaleur ni sa grossesse qui rongent l'âme de Nicole Redman, déclara-t-elle tristement. Tu devrais y réfléchir, Matteo.

Cette fois, elle s'en alla. Quand elle referma la porte sur elle, elle songea que Matt tenait son avenir entre ses mains. Allait-il prendre les bonnes décisions ?

17.

Jusqu'au dernier moment, Nicole hésita à poster l'enveloppe. Elle l'avait déjà à moitié glissée dans la fente de la boîte aux lettres, mais elle la retenait encore serrée entre le pouce et l'index. « Tu ne peux plus reculer ! » se sermonna-t-elle.

Elle n'avait pas le droit de cacher à Matt King qu'il était le père de son enfant. Et cette lettre représentait un bon compromis : Matt apprendrait la nouvelle après son départ, et Nicole s'épargnerait ainsi une confrontation éprouvante. Une fois que le bébé serait né, bien sûr, elle le préviendrait. Il pourrait alors décider s'il voulait connaître son enfant. D'ailleurs, ce dernier aussi avait des droits, elle ne pouvait le nier. Et elle s'était promis que, quels que soient ses propres rapports avec Matt King à l'avenir, elle ferait en sorte que leur fils ou leur fille n'en pâtisse pas.

Consciente qu'elle n'avait de toute façon pas le choix, elle lâcha finalement l'enveloppe dans la boîte aux lettres. Après la semaine qu'elle venait de passer, à examiner toutes les options qui s'offraient à elle, Nicole se sentit aussitôt plus légère.

Il était presque 5 heures quand elle retourna à sa voiture. En prévision du voyage du lendemain, elle avait acheté un paquet de sucettes pour calmer les nausées éventuelles, ainsi que quelques bouteilles d'eau minérale. Elle était donc fin prête pour le départ, ce qui lui laissait le temps de faire un long détour par Port Douglas avant de rentrer à King's Castle.

Elle n'était pas encore partie mais la ville lui manquait déjà, songea-t-elle avec une pointe de mélancolie. Peut-être que son enfant, un jour, viendrait ici en vacances, si Matt le voulait. A cette pensée, son cœur se serra et elle dut essuyer du revers de la main une larme qui avait coulé sur sa joue. Lorsqu'elle pénétra dans la cuisine pour mettre les bouteilles d'eau au frais, elle trouva Rosita devant ses fourneaux.

— J'ai préparé des lasagnes spécialement pour vous, lui annonça-t-elle.

Rosita ne pouvait pas s'empêcher de la gâter une dernière fois, nota Nicole, touchée par cette attention. Elle rendit son sourire chaleureux à la gouvernante, même si elle savait qu'elle devrait faire un effort pour avaler quelques bouchées…

— Je m'en régale à l'avance !

— Ce soir, je vous préparerai un panier pique-nique pour la route, poursuivit Rosita. En attendant, est-ce que je peux faire autre chose pour vous ?

— Non, merci, Rosita. Vous êtes vraiment adorable, mais je suis prête. Maintenant, j'aimerais aller admirer le coucher du soleil du haut de la tour.

— C'est le meilleur endroit, approuva la gouvernante. Mais faites bien attention de ne pas tomber dans l'escalier ! Les marches sont très glissantes.

Tandis que Nicole s'éloignait, les paroles de Rosita résonnaient dans son esprit. Pourquoi avait-elle l'impression que la gouvernante connaissait son secret ? Celle-ci n'avait jamais fait d'allusions directes, mais elle devait se douter de quelque chose. Comment expliquer autrement ces attentions excessives dont elle la couvait, ces conseils de prudence ? Penser à Rosita raviva sa mélancolie. Celle-ci s'était comportée comme une mère poule avec elle durant son séjour. Ayant perdu sa mère quand elle n'était encore qu'une enfant, Nicole avait connu, grâce à la gouvernante, le plaisir de se laisser materner.

Tant de choses allaient lui manquer ! songea-t-elle en arrivant en haut des marches.

Combien de fois était-elle venue ici, après une journée de travail ? C'était un endroit merveilleux pour se détendre... Quel que soit le côté où l'on regardait, la vue était fantastique.

Longeant les créneaux recouverts de mosaïques, Nicole embrassa une dernière fois le panorama d'un coup d'œil circulaire, avant de se diriger vers la partie de la tour qui dominait la crique de Dickenson. C'était incontestablement son paysage favori, surtout quand le soleil le baignait de sa lueur décroissante. Les voiliers croisaient au large, et de l'autre côté de la baie, les champs de canne, adossés à la montagne derrière laquelle se couchait le soleil, formaient un océan de verdure.

Emerveillée par cette atmosphère paisible, Nicole se souvint que Marguerita Valeri — la mère d'Isabella King — aimait elle aussi se tenir à cet endroit, autrefois. Elle guettait les bateaux qui rentraient au port, regardait les flammes qui embrasaient les champs au moment de la récolte... Songeant qu'elle-même contemplait sans doute un spectacle très similaire à celui qui s'offrait aux regards de Marguerita, Nicole se rendit compte pour la première fois que son enfant — l'enfant de Matt King — faisait partie de cette lignée de pionniers qui avaient édifié ce château, ces plantations, et tant d'autres choses encore...

Contrairement à Nicole, son enfant aurait des racines familiales profondément ancrées dans cette région. Avant même de naître, il avait déjà une histoire. Une histoire que Nicole écrirait pour que les générations futures s'en souviennent. Ce serait son cadeau à son enfant. Et si Matt se conduisait comme un père responsable, leur fils ou leur fille connaîtrait ce sentiment de stabilité que seule l'appartenance à une famille pouvait procurer.

Une fois parvenu au sommet de la tour, Matt parcourut la terrasse du regard. Il aperçut immédiatement Nicole, appuyée contre la balustrade. La jeune femme lui tournait le dos, mais il devina qu'elle contemplait la baie. Sa silhouette gracieuse était si parfaitement immobile qu'elle lui parut soudain inaccessible. Seule la pensée qu'il venait pour l'arracher à sa solitude lui redonna du courage.

La lumière du soleil couchant nimbait sa chevelure d'un halo incandescent. Elle paraissait si forte et si fragile à la fois qu'il aurait voulu immédiatement la prendre dans ses bras. Il réprima cependant son impulsion, car il savait qu'il n'arriverait à rien en la brusquant.

La colère qui l'avait envahi quand il avait compris qu'elle lui avait dissimulé sa grossesse s'était dissipée depuis des heures. Comparée à l'idée de perdre cette femme et l'enfant qu'elle portait, sa fierté n'avait plus aucune importance. Il voulait la conquérir coûte que coûte, et pour cela, il devait avant tout la convaincre de sa sincérité.

Cette rencontre était sa dernière chance pour y parvenir, et il ne pouvait pas se permettre de la gâcher. Prenant une profonde inspiration, il s'avança vers la jeune femme.

— Nicole…

En entendant la voix grave de Matt prononcer son nom, Nicole sursauta, et les battements de son cœur s'accélérèrent tandis qu'elle se tournait pour lui faire face.

Dans son esprit, cet homme faisait déjà partie du passé, et elle ne songeait même pas à dissimuler sa surprise de le voir soudain surgir sous ses yeux. Il avançait vers elle à grandes enjambées. Happée par l'incroyable énergie virile qui émanait de toute sa personne, Nicole eut l'impression que son sang coulait plus vite dans ses veines.

— Que venez-vous faire ici ? s'écria-t-elle.

Matt ralentit aussitôt le pas, les mains levées en signe d'apaisement.

— Je suis désolé de vous avoir fait peur, s'excusa-t-il. J'étais venu voir ma grand-mère et elle m'a appris que vous partiez demain.

Nicole se maudissait intérieurement de n'avoir pas pensé que Matt, travaillant au siège de King Tours le vendredi, pouvait encore passer à King's Castle avant son départ.

— Oui… Oui, c'est vrai, balbutia-t-elle. Maintenant que mon travail de recherche est terminé, je n'ai pas besoin de rester ici pour écrire.

— C'est à cause de moi que vous partez ?

Le cœur de Nicole s'était remis à battre de plus belle. Matt venait de s'arrêter devant le muret de mosaïques, à un mètre seulement à sa droite, et il la dévisageait avec une intensité bouleversante.

— Qu'est-ce qui vous fait penser ça ? J'ai expliqué à Mme King que…

— Je sais que mon comportement vous a parfois mise mal à l'aise, l'interrompit-il avec une moue ironique.

« Comme en ce moment, par exemple ! » songea Nicole, qui sentait une vague de chaleur monter le long de son cou jusqu'à ses pommettes. Dans l'espoir de masquer son trouble, elle tourna son visage vers la lumière du soleil couchant. Elle aurait voulu répliquer que son départ n'avait rien à voir avec lui, mais elle n'arrivait pas à émettre le moindre son.

D'autant plus qu'elle savait que les tourments dans lesquels la plongeait chaque apparition de Matt King étaient pour beaucoup dans sa décision de s'en aller.

— J'ai commis une grosse erreur à votre sujet, poursuivit-il. J'aimerais pouvoir retirer ce que j'ai dit sur vous… et repartir de zéro.

C'était pourtant impossible ! songea Nicole. Ils ne pouvaient pas revenir en arrière : une nouvelle vie avait commencé à battre en elle, et cela changeait tout. Elle préférait cependant qu'ils se quittent en bons termes, car cela faciliterait leurs relations futures. S'armant de courage, elle se tourna de nouveau vers Matt, et soutint son regard.

— Je suis heureuse que vous soyez revenu sur la mauvaise opinion que vous aviez de moi, mais j'aimerais que nous en restions là, déclara-t-elle d'une voix qu'elle espérait aussi naturelle que possible.

Matt la dévisagea quelques secondes en silence.

— Je ne peux pas en rester là, Nicole, déclara-t-il enfin. Parce que je ne veux pas que vous partiez.

N'éprouvait-il donc rien d'autre pour elle que ce désir brûlant que trahissaient le timbre de sa voix et la lueur de ses yeux noirs ? Bouleversée malgré elle par l'aveu de ce désir brut, elle protesta faiblement :

— Ce n'est pas… bien !

— Si ! Nous deux, à Brisbane, c'était merveilleux ! Je n'ai jamais éprouvé quelque chose d'aussi incroyable avec une autre femme.

Refusant d'en entendre davantage, Nicole fit mine de reculer. Matt s'interrompit aussitôt et posa une main sur son bras.

— Attendez, laissez-moi finir !

Il n'y avait aucune violence dans son geste, il voulait seulement qu'elle écoute ce qu'il avait à lui dire. La tension de Nicole diminua légèrement, et elle s'appuya de nouveau contre le muret.

— Ensuite, poursuivit-il, j'ai voulu nier les sentiments qui se bousculaient en moi, et j'ai gâché ce moment magique. Je sais que je me suis conduit comme un parfait goujat, mais je ne voulais pas que vous vous imaginiez que vous aviez réussi à me piéger…

— Je n'ai jamais cherché à vous piéger ! Où êtes-vous allé chercher une idée pareille ? s'exclama Nicole.

— C'est à cause de ma grand-mère…

— Que vient faire votre grand-mère dans cette histoire ?

— Elle y joue un rôle essentiel, déclara Matt en poussant un soupir d'exaspération. *Nonna* en avait assez d'attendre que ses petits-fils se décident à se marier, elle a donc décidé, il y a quelque temps, de prendre les choses en main. C'est elle qui a engagé Gina comme chanteuse pour les mariages au château. Puis, quand Tony a eu besoin d'un nouveau chef cuisinier sur son catamaran, elle a recruté Hannah. Vous connaissez la suite. Je me doutais qu'elle voulait me caser à mon tour, alors quand vous êtes arrivée… j'ai pensé que vous étiez celle qu'elle me destinait !

Nicole n'en croyait pas ses oreilles ! Matt devait d'ailleurs se rendre compte qu'il aurait du mal à lui faire avaler cette histoire à dormir debout, car il passa nerveusement une main dans ses boucles sombres.

— C'est complètement fou ! finit-elle par dire.

— Pas tant que ça, répliqua-t-il en haussant les épaules.

— Et vous pensez que j'aurais accepté de vous épouser sans même vous connaître ?

— Vous n'étiez pas censée être au courant. Laissez-moi mieux m'expliquer… Pour une raison que j'ignore, *Nonna* s'était mis en tête que nous ne pouvions que tomber amoureux l'un de l'autre. Elle pensait que je ne pourrais pas vous résister, je voulais donc lui prouver le contraire. Et quand je vous ai reconnue...

— Vous vous êtes empressé de concocter une histoire invraisemblable à mon sujet, pour prouver que votre grand-mère s'était trompée sur toute la ligne : au lieu d'une épouse idéale, elle avait engagé une aventurière, dont vous connaissiez le passé « douteux », conclut Nicole d'un ton accusateur.

— Oui, et j'admets que je me suis accroché à cette histoire ridicule en dépit du bon sens. Tout ça pour ne pas avoir à m'avouer à quel point vous me plaisiez. Je ne pensais qu'à une chose : ne pas tomber dans le piège que me tendait *nonna* à travers vous. Si je n'avais pas été à ce point aveuglé, je me serais peut-être rendu compte plus tôt que ma grand-mère n'était en rien responsable de l'attirance que j'ai éprouvée pour vous... il y a dix ans.

— Vous voulez dire : à La Nouvelle-Orléans ? demanda Nicole, confuse et incrédule.

— Ce soir-là, j'ai vous ai suivie pour vous regarder et vous écouter. J'aurais voulu vous aborder... Mais c'était ma dernière nuit à La Nouvelle-Orléans, et je me suis dit qu'en réalité, vous n'étiez qu'un rêve, un fantasme.

Complètement prise au dépourvu par les confidences de Matt, Nicole se contenta de murmurer d'un air contrit :

— De toute façon, il ne se serait probablement rien passé entre nous. A l'époque, j'avais trop de problèmes, trop de responsabilités pour songer à m'ouvrir aux autres.

— Nos routes ne se sont pas croisées, à ce moment-là. Est-ce une raison pour ne pas faire un bout de chemin ensemble aujourd'hui ?

Quelle injustice du sort ! songea Nicole, abasourdie. Matt lui proposait de voir où les mènerait l'attirance qu'ils éprouvaient l'un pour l'autre, et elle était persuadée — après ce qu'il venait de lui dire — qu'il ne s'agissait pas seulement de coucher avec elle. Pourtant cette perspective, qui l'aurait transportée de joie il y a quelques semaines, la rendait bien malheureuse à présent. Elle ne pouvait en effet accepter, sachant que tôt ou tard, Matt apprendrait qu'elle était enceinte. Il aurait alors l'impression qu'elle l'avait « piégé ».

Bouleversée par le conflit intérieur qui la déchirait, Nicole ne pouvait détacher son regard de son compagnon. Elle aurait voulu que le temps fasse marche arrière, qu'ils soient seuls au monde et libres d'entreprendre ce voyage chargé de promesses…

Matt se méprit sur son silence. Il pensait sans doute qu'il n'avait pas réussi à la convaincre de sa sincérité, car il renchérit :

— Quand j'ai lu votre livre, j'ai compris à quel point je m'étais égaré en mettant en doute votre honnêteté et votre talent. Et je suis désolé de vous avoir blessée par mes remarques.

La passion qui vibrait dans sa voix alla droit au cœur de Nicole, et elle dut se détourner pour ne pas céder à la prière de son regard brûlant. Il lui suffisait de penser à sa grossesse, cependant, pour recouvrer la raison. Ne supportant pas l'idée que Matt se sente lié à elle uniquement par leur bébé, elle ne pouvait donc ni lui avouer qu'elle était enceinte ni le lui cacher ; cette situation inextricable constituait une véritable épreuve pour ses nerfs, à laquelle il fallait mettre un terme.

— Je te pardonne de m'avoir blessée, le rassura-t-elle en passant au tutoiement. Ne t'inquiète plus pour ça, ajouta-t-elle d'une voix dénuée d'émotion.

— Cet après-midi-là, à Brisbane…

Elle se raidit aussitôt, fermement décidée à ne pas laisser ces souvenirs entamer sa résolution.

— Tu avais envie de moi, Nicole, murmura-t-il.

— C'est vrai. Tu n'avais rien à te reprocher, sur ce plan-là, admit-elle sèchement.

— Tu as réussi à l'oublier ?

La voix sensuelle de son compagnon lui rappela des images et des sensations bien trop vivaces, qu'elle aurait voulu rayer de sa mémoire. Dans une tentative désespérée pour chasser ses souvenirs troublants, Nicole ferma les yeux.

— Moi, je n'arrive pas à oublier. Et je ne pense pas que j'y arriverai un jour, poursuivit-il. Tu as éveillé au plus profond de moi des sentiments que je ne pensais pas pouvoir ressentir. Dans tes bras, j'ai vécu une sensation de parfaite harmonie, qui allait bien au-delà de la simple entente physique. Et parce que ce fut tellement… incroyable, j'étais impatient de revivre l'expérience… Je sais que j'ai été maladroit, je n'ai pas pris le temps de…

— Arrête ! coupa-t-elle d'une voix étranglée. Moi non plus, je ne m'attendais pas que ça se passe de cette façon. C'est ainsi, nous n'y pouvons rien. Mais aujourd'hui nous avons le choix. Tu ne souhaites pas que ta grand-mère t'impose sa décision, et je te comprends. Quant à moi, je ne veux pas d'une simple aventure.

— Ce n'est pas ce que je veux non plus ! répliqua-t-il avec véhémence.

— Alors que désires-tu, à la fin ? s'écria Nicole. Pourquoi es-tu venu me retrouver, et pourquoi veux-tu m'empêcher de partir ?

— Parce que je t'aime !

A ces mots, ils se dévisagèrent sans broncher durant quelques secondes interminables. La fougue avec laquelle Matt lui avait assené cette déclaration semblait le surprendre autant qu'elle, et Nicole n'était pas encore remise de son choc quand il reprit :

— Et je suis persuadé que tu m'aimes aussi. Laisse-moi seulement le temps de t'en convaincre.

— Tu m'aimes… ?

— Oui, je t'aime, répéta-t-il sans ciller. Tu occupes mes pensées jour et nuit. Et si tu cessais de me repousser, je pourrais enfin te montrer à quel point je me soucie de toi. Je veux prendre soin de toi, te chérir…

Complètement déboussolée par cet aveu, Nicole nageait en pleine confusion.

— Mais tu me connais à peine !

— Nicole ! J'ai lu et relu certains passages de ton livre, continua-t-il en avançant vers elle.

— Il n'y est pourtant pas question de moi, chuchota-t-elle dans un souffle.

Matt prit son visage entre ses mains et plongea ses yeux dans les siens, tout en caressant doucement ses joues.

— C'est bien toi, cependant, qui l'illumines de bout en bout par ta présence, déclara-t-il tendrement. J'aime l'enfant qui a eu le courage de sortir son père de l'obscurité qui menaçait de l'engloutir. J'aime la jeune fille qui a fait en sorte de donner un sens aux dernières années de la vie d'un homme malade. Ton livre révèle le fond de ton cœur, et il faudrait être fou pour ne pas t'aimer.

D'une légère pression, il releva le menton de la jeune femme et, avant qu'elle ait pu émettre la moindre protestation, il s'empara de sa bouche pour l'embrasser avec une lenteur ensorcelante. Emue de sentir à quel point il réfrénait sa propre ardeur pour ne pas la brusquer, Nicole ne tarda pas à s'abandonner à la tendresse bouleversante qui s'emparait d'elle.

— Je t'aime, murmura Matt contre ses lèvres quand il interrompit son baiser. J'aime tout en toi.

Puis, il releva la tête et plongea son regard dans les yeux éperdus qu'elle levait vers lui. Un sourire énigmatique étira ses lèvres sensuelles quand il effleura du bout des doigts la peau délicate de sa nuque, avant de les plonger voluptueusement dans ses boucles cuivrées.

— Ta chevelure attire mes doigts comme un aimant, et j'adore la façon dont tu te tiens…

Les mains de Matt descendirent le long de ses épaules.

— Tu as l'air si fière… Et tu as de quoi l'être, Nicole, car tu es unique. Quand je te regarde, je ne peux pas m'empêcher de penser que tu as été créée pour moi. C'est un pressentiment si puissant que je ne peux pas le contrôler. Et je pense que tu ressens exactement la même chose à mon égard.

Son regard rivé au sien la défiait de le contredire. Comme elle ne disait toujours rien, il poursuivit :

— Si tu n'avais pas senti, toi aussi, que nous étions faits l'un pour l'autre, tu ne m'aurais pas laissé venir dans ta chambre, à Brisbane. Reconnais-le, ce qui s'est passé cet après-midi-là n'est pas arrivé par hasard, et ce serait sans doute arrivé plus tôt si je n'avais pas tout fait pour me montrer désagréable.

Et si c'était vrai ? se demanda Nicole, troublée par l'assurance de son compagnon. Si elle n'avait pas senti l'hostilité de Matt lors de leur première rencontre ; si au lieu de se montrer aussi arrogant, il s'était montré accueillant et charmant… ? Il avait raison : elle serait tombée amoureuse de lui immédiatement. Mais cela signifiait-il pour autant qu'ils étaient faits l'un pour l'autre ? Qu'elle pourrait revivre l'état de grâce qu'elle avait connu dans ses bras ?

Sentant sans doute le fléchissement de sa volonté, Matt tenta de pousser son avantage.

— Tout ce que je te demande, c'est de rester encore un peu ici, déclara-t-il. Je veux te prouver que…

— Je suis enceinte, annonça-t-elle sans ambages.

De crainte de voir Matt perdre contenance sous ses yeux, elle détourna rapidement la tête et fixa résolument son regard sur les montagnes. Elles étaient sombres, à présent — seules leurs crêtes étaient encore éclairées d'un halo pourpre. La nuit allait bientôt tomber.

— Je t'ai écrit une lettre, balbutia-t-elle dans une tentative dérisoire pour se justifier. Je t'explique que j'attends un enfant. Je t'aurais aussi écrit pour t'annoncer sa naissance... Au cas où tu aurais voulu le voir, et être un père pour lui...

Comment lui expliquer qu'elle s'était retrouvée dans une situation inextricable ? Le silence devenait de plus en plus pesant, mais Nicole se sentait désormais incapable de prononcer un mot de plus. Matt devait penser que le piège se refermait sur lui — c'est sans doute pour cela qu'il ne disait rien.

Il n'était plus question de la bercer de promesses d'amour. Ni de lui demander de rester encore trois mois à King's Castle, pour voir comment leur relation évoluerait.

Il était question d'un enfant qui les unissait l'un à l'autre pour le reste de leur vie. Qu'ils le veuillent ou non.

18.

— C'était donc vrai. Tu es enceinte !

La réaction de Matt, lorsqu'il parla enfin, prit Nicole au dépourvu. A vrai dire, elle s'était attendue à une réaction choquée — pas à ce ton empreint de tristesse.

— Je ne voulais pas croire que tu partirais sans me le dire, continua-t-il. Sans même me donner une chance de…

Quand elle comprit enfin la signification de ces paroles, c'est elle qui reçut un choc, et elle tourna aussitôt la tête de son côté pour le dévisager, abasourdie.

— Tu veux dire que tu étais au courant ? Par qui ?

— Rosita l'a dit à ma grand-mère, et celle-ci a estimé que j'avais le droit de le savoir.

— Tu savais, avant même de venir me rejoindre ici ?

Cette nouvelle ébranla tellement Nicole dans ses certitudes, qu'elle avait inconsciemment haussé la voix. Matt ne daigna même pas relever sa question. La colère semblait à présent avoir pris le pas sur la peine.

— Comment as-tu pu me faire ça ? voulut-il savoir, visiblement furieux. Partir en me laissant une lettre !

— Je voulais justement éviter ce qui vient d'arriver : que tu te sentes obligé de me retenir sous prétexte que tu es partiellement responsable de la situation. Tu n'avais pas besoin d'inventer ces histoires…

— Une lettre ! répéta-t-il, sans se soucier de lui couper la parole. C'est presque pire que de ne rien dire du tout ! Je me serais fait un sang d'encre pendant huit mois, sans savoir où tu étais, si tu allais bien, ni comment tu t'en sortais avec le bébé ! Tu aurais tout pris en charge toi-même et je n'aurais pas eu mon mot à dire. C'était ça, ton plan ?

— Oui ! Je ne supportais pas l'idée que tu puisses te sentir piégé.

— Pourquoi ne m'as-tu pas donné le choix ? Tu as préféré décider toute seule de me tenir à l'écart. Tu as rejeté d'emblée l'aide et le réconfort que j'aurais pu t'apporter durant ta grossesse. Je n'aurais eu aucune chance de me trouver à tes côtés pour la naissance de notre enfant. Comment as-tu pu envisager de me priver de la joie de prendre mon nouveau-né dans mes bras ?

Le ton possessif avec lequel Matt parlait de son enfant — et d'elle — fit sortir Nicole de ses gonds. On aurait dit qu'elle avait porté atteinte à son droit de propriété ! Mais elle n'allait pas se laisser impressionner par ses revendications !

— Ta colère n'a rien à voir avec l'amour. Tu refuses de me laisser partir parce que je possède quelque chose que tu veux.

— Te laisser partir ? Effectivement, il n'en est pas question ! répliqua-t-il, une lueur déterminée dans les yeux. J'en ai assez de ces absurdités, Nicole Redman ! Nous allons nous marier. Et si vite que *nonna* ne saura plus où donner de la tête pour que tout soit prêt dans les temps.

Sous l'effet de la surprise, Nicole recula instinctivement de quelques pas.

— Tu ne peux pas me forcer à t'épouser ! protesta-t-elle.

— Donne-moi une bonne raison qui m'en empêcherait.

— Un enfant n'est pas une raison suffisante pour se marier. Ça ne marchera pas.

— Et un mariage d'amour, ça marchera ?

— Tu ne penses pas ce que tu dis.

— Je te défends de ne pas me croire, Nicole !

— C'est toi qui as affirmé que tu ne voulais pas te faire « piéger » !

— Je souhaite pourtant me marier avec toi, affirma-t-il avec conviction. Tu es la femme que je veux, tu portes notre enfant, nous allons fonder un foyer et construire notre avenir ensemble… Si c'est un piège, je m'y élance les yeux fermés !

La formidable assurance de Matt commençait à entamer la détermination de Nicole, mais elle ne pouvait encore tout à fait se résoudre à lui faire confiance.

— Si je n'étais pas tombée enceinte…

— Tu serais restée au château jusqu'à la fin de ton contrat, et j'aurais eu le temps de te convaincre que nous étions faits l'un pour l'autre.

— Qu'est-ce qui me le prouve ?

— Ecoute ton cœur ! lui ordonna-t-il. Au fond de toi, tu veux rester avec moi. Te souviens-tu de ce que tu m'as dit dans l'ascenseur, à Brisbane ? Sur ce que tu attendais d'un homme ? Eh bien, je serai cet homme, Nicole. Celui qui sera toujours là pour toi, qui veillera sur toi, mais par-dessus tout… qui t'aimera.

Les paroles de Matt résonnèrent dans sa tête comme une musique céleste, et la douce persuasion de sa voix eut raison de ses derniers doutes. Il lui promettait tout ce dont elle avait toujours rêvé. Chancelant sous le flot d'émotions qui la submergeait, Nicole le regardait tandis qu'il se rapprochait d'elle. Matt était si grand, si fort et si beau ! Rien ne semblait pouvoir résister à son incroyable énergie.

Il posa les mains sur ses épaules et plongea son regard brûlant de passion dans le sien.

— Arrête de me résister, murmura-t-il. Pense à ce que nous avons ressenti ensemble, quand nous avons fait notre enfant. Nous sommes faits l'un pour l'autre, admets-le !

La chaleur de son regard propagea une onde délicieuse dans son corps et Nicole se rendit compte qu'elle aimait cet homme à la folie. Elle voulait être sa femme et faire partie de sa famille.

Les longues mains de Matt serraient doucement ses épaules :

— Donne-nous une chance, Nicole !

19.

Chère Elizabeth,

Je vous écris pour vous annoncer une merveilleuse nouvelle : hier, Nicole a donné naissance à un petit garçon — il s'appelle Stephen, en souvenir de mon père, dont le second prénom était « Stefano ». Nicole y tenait beaucoup. Comme vous pouvez vous en douter, son sens des traditions familiales m'est d'un grand réconfort. A présent, je suis assurée que l'héritage de ma famille ne disparaîtra pas avec moi.

Quand que je parcours l'ouvrage que cette jeune femme a écrit sur nous, je sens son amour pour notre famille à chaque page. Il se retrouve dans les moindres détails, et jusqu'à la façon dont elle a disposé les illustrations. J'espère qu'elle continuera au fil des ans à apporter sa pierre à cet édifice, et notamment qu'elle ajoutera la photo que je joins à cette lettre. N'est-ce pas une image merveilleuse ? Tout l'amour et toute la fierté du monde se lisent dans le regard dont Matteo couve sa femme et son fils nouveau-né. Et Nicole, en retour, le dévisage avec une telle tendresse ! Chaque fois que je pose les yeux sur cette photo, je suis émue aux larmes, et je suis sûre qu'elle vous touchera autant que moi.

Ces deux-là étaient vraiment faits pour se rencontrer. Pourtant Dieu sait s'il a été difficile de les réunir ! C'est la providence qui leur a envoyé cet enfant, sinon ils n'auraient peut-être jamais compris ce qu'ils représentaient l'un pour l'autre. Je n'ai pas besoin de vous en dire plus, vous avez vu vous-même, le jour de leur mariage, à quel point ils s'aiment.

Je peux me reposer maintenant, avec le sentiment apaisant du devoir accompli. Alessandro, Antonio et Matteo ont tous les trois trouvé les femmes de leur vie. Et moi, j'ai quatre arrière-petits-enfants — deux garçons et deux filles. Antonio et Hannah adorent leur petite fille, et il ne fait aucun doute que Stephen et elle seront de bons compagnons de jeux, car ils ont presque le même âge.

Il n'y a vraiment rien qui soit plus important que la famille. Pour moi, c'est la clef de voûte de toute notre existence. Grâce à elle, nous sommes rattachés aussi bien à notre passé, qu'à notre présent et à notre avenir. Je sais que vous partagez mon sentiment et je prends toujours beaucoup de plaisir à lire vos lettres. Vous m'avez donné d'excellents conseils et j'aimerais encore une fois vous en remercier.

Tous les soirs, quand je suis allongée dans mon lit, je pense à la descendance de notre famille — la vôtre, dans le Kimberley, et la mienne, ici, dans le nord du Queensland. Je vois que la lignée des King n'est pas près de s'éteindre, et je m'endors heureuse.

Affectueusement vôtre,

Isabella Valeri King

Le nouveau visage de la collection Or

AMOURS D'AUJOURD'HUI

Afin de mieux exprimer sa modernité et de vous séduire encore davantage, votre collection Or a changé de couverture et de nom depuis le 1er mars 1995.

Rassurez-vous, les romans, eux, ne changent pas, et vous pourrez retrouver dans la collection **Amours d'Aujourd'hui** tous vos auteurs préférés.

Comme chaque mois, en effet, vous y attendent des héros d'aujourd'hui, aux prises avec des passions fortes et des situations difficiles...

COLLECTION
AMOURS D'AUJOURD'HUI :
Quand l'amour guérit des blessures de la vie...

Chère lectrice,

Vous nous êtes fidèle depuis longtemps?
Vous venez de faire notre connaissance?

C'est pour votre plaisir que nous avons imaginé un rendez-vous chaque mois avec vos auteurs préférés, vos AUTEURS VEDETTE *dans les collections* Azur *et* Horizon.

Les AUTEURS VEDETTE *vous donneront rendez-vous pour de nouveaux livres vedette.*

Pour les reconnaître, cherchez l'étoile... Elle vous guidera!

Éditions Harlequin

AUT-R-R

HARLEQUIN

LE FORUM DES LECTEURS ET LECTRICES

CHERS(ES) LECTEURS ET LECTRICES,

VOUS NOUS ETES FIDÈLES DEPUIS LONGTEMPS?

VOUS VENEZ DE FAIRE NOTRE CONNAISSANCE?

SI VOUS AVEZ DES COMMENTAIRES, DES CRITIQUES À FORMULER, DES SUGGESTIONS À OFFRIR, N'HÉSITEZ PAS… ÉCRIVEZ-NOUS À:

LES ENTERPRISES HARLEQUIN LTÉE.
498 RUE ODILE
FABREVILLE, LAVAL, QUÉBEC.
H7R 5X1

C'EST AVEC VOS PRÉCIEUX COMMENTAIRES QUE NOUS ALLONS POUVOIR MIEUX VOUS SERVIR.

DE PLUS, SI VOUS DÉSIREZ RECEVOIR UNE OU PLUSIEURS DE VOS SÉRIES HARLEQUIN PRÉFÉRÉE(S) À VOTRE DOMICILE, NE TARDEZ PAS À CONTACTER LE SERVICE D'ABONNEMENT; EN APPELANT AU (514) 875-4444 (RÉGION DE MONTRÉAL) OU 1-800-667-4444 (EXTÉRIEUR DE MONTRÉAL) OU TÉLÉCOPIEUR (514) 523-4444 OU COURRIER ELECTRONIQUE: AQCOURRIER@ABONNEMENT.QC.CA OU EN ÉCRIVANT À:

ABONNEMENT QUÉBEC
525 RUE LOUIS-PASTEUR
BOUCHERVILLE, QUÉBEC
J4B 8E7

MERCI, À L'AVANCE, DE VOTRE COOPÉRATION.

BONNE LECTURE.

HARLEQUIN.

VOTRE PASSEPORT POUR LE MONDE DE L'AMOUR.

Composé et édité par les
éditions Harlequin
Achevé d'imprimer en mai 2004

à Saint-Amand-Montrond (Cher)
Dépôt légal : juin 2004
N° d'imprimeur : 42196 — N° d'éditeur : 10587

Imprimé en France